天才IT大臣
オードリー・タン
が初めて明かす
問題解決
の4ステップと15キーワード

文響社

はじめに

「私は好奇心の塊です」。

これはオードリー・タンに取材中、たびたび耳にした発言だ。解決思考や公共の利益といったテーマから膨大な読書や好みの映画や音楽について、いずれも彼女のベースにあるのがこの「好奇心」だ。困難なときでも好奇心を失わないその姿を見ると、オードリーの内面がいつも安定しているのが伝わってくる。

生まれつき重い心臓病を患っていたオードリーは、天才であるがゆえに小学校では壮絶ないじめにあい、中学校を自主退学し、15歳で起業するなど、ほとんどの人が経験することのないような成長過程を体験した。

やがてトランスジェンダーであることを公表し、30代で早くもビジネスを引退して、公僕になると決意した彼女は、台湾最年少の若さで政務委員に就任する。

新型コロナウイルス感染症との闘いにおいては、いわゆるマスクマップに代表される情報共有の最大化と利便化を図ってウイルスに対する民衆の恐怖心を最大限に払拭し、国際的にも高い評価を受けた。

また、感染拡大が深刻化すると、今度は公的部門や民間部門と協力して、たった5秒3ステップで市民が自分の行動履歴をスマートフォンで申告できる「本人確認登録システム」を、わずか三日で開発したことも記憶に新しい。

降りかかる数々の難題に対し、オードリーはその都度ベストな対策を模索し、講じてきたと言えるだろう。

本書では4つのステップと15個のキーワードを軸にして、オードリーが問題を解決するプロセスを探っていく。これら15個のキーワードは、SDGsや国際協調のようなスケールの大きな社会的な問題から心の在り方のような個人的な問題まで、あらゆる問題解決の鍵となるだろう。

本書の構成としては、キーワードごとにまずはインタビュアーである私の解説に続き、オードリーの話が展開される。取材時はいつも、聞き手や読み手の立場に配慮し、言葉を尽くして語ってくれた。まさに、彼女がモットーとする「すべての人の側に立つ(take all the sides)」を実践していたのが深く印象に残っている。

世界屈指の頭脳を持つ天才IT大臣として形容されることが多いオードリーだが、取材を通じて見えてきたのは、それ以上に、深い思いやりと旺盛な好奇心、前向きなユーモアといった豊かな人間性によって、数々の問題と対峙《たいじ》する底力を培ってきた人物の姿だ。

本書を通じて、問題解決のヒントだけでなく、魅力あふれるオードリー・タンの姿をも知っていただけたら幸いである。

黄亞琪

CONTENTS

STEP

1

問題と向き合う

KEYWORD 01 ／ 解決思考
KEYWORD 02 ／ エンパシー
KEYWORD 03 ／ 多重視点
KEYWORD 04 ／ 取捨折衷

KEYWORD 01

解決思考

問題と向き合う

すべての人の側に立って対話する

「天才として名高いオードリーは脳波ですべてをコントロールできると言われるくらいだから人の心の中だってお見通しだろう」と噂《うわさ》する人もいる。だが、取材するたび、彼女は、「対話とエンパシーがなければ共感は起きないし、共通認識やシェアも生まれない」と強調した。

オードリーにとっての合理的な理解法や分析方法とは、彼女が早くから関わっていたオープンソースの世界と同じように、**対話する相手が変わるたびにすべての人の側に立って（take all the sides）「傾聴」し、動的発展を完全に理解して調和させること**を指している。

「先入観や偏見は後天的に形成されるものです。人々が詰め込み型やステレオタイプの教育を減らして、世間の既存の推論を受け売りするのをやめれば、『すべての人の側に立つ』ことは簡単になるはずです」オードリーはそう語っている。

オードリーの行政院執務室の片隅には、彼女が法鼓山《ほっくさん》（台湾の仏教団体）で講演を行った際に贈られた**「向き合い、受け入れ、対処して、手放す」**という法鼓山創建者・聖厳法師の格言が飾られている。

何かに臨む際の心構えと順序を重んずる高僧のこの言葉は、オードリーの問題解決手法にも生かされている。

自己矛盾が起きないよう心がける

思考を発展させるときには、できるだけ自己矛盾が起きないよう心がけているとオードリーは言う。

ある状況が自分の元の考えとずれていると思ったら、その元の考えを新たなものごとや誰かに無理やり当てはめるのではなく、自分の考えをその事実に合うよう修正しているのだ。彼女は公的部門に入ってからこのアプローチを組織にも持ち込んだ。

興味深いのは、民進党の議員たちに傾聴と発言をバランスよく行わせながら、社会の低所得者層や声をあげるルートを知らない人々に彼らの置かれた境遇を理解させるにはどうすればよいかを模索した点だ。

その答えが、オードリーが行政院で「虚擬世界発展法規調適計画（仮想世界法規整備調整計画）」顧問を務めていたときに立ち上げた、民衆と政府の両方が声をあげることのできる法令討議プラットフォーム「vTaiwan」（注1）だった。

このプラットフォームでは、例えばUberやAirbnbの受け入れの是非やアルコールのオンライン販売の可否といった、オフラインとオンラインのビジネスモデルがせめぎ合うさまざまな課題についても議論が行われている。

Uber論争を例に挙げよう。Uberと台湾大車隊（台湾のタクシー最大手）の代表と、イノベーション専門家、財政部、交通部など13の関連部門職員や利害関係者らが討議したのが、このvTaiwanだった。会議は公開討論で行われ、2万字もの全発言がインターネットにアップロードされて、各当事者の意見やアイデアがすべてオープンになった。

この「安全な空間」の中では、誰かが知識や発言権を独占することもなければ、誰かが誰かの代弁者になることもない。記録を取る目的は、その場にいられなかった人もあとから議論に参加できるようにすることだ。一同にコンセンサスが生まれたら意思決定が行われ、最終的に行動に移される。コンセンサスが得られなければ、対話記録がどこまでも続く。

対話を通じて意思疎通を図り、各々が自身の観点やアイデアを提起すれば、意思決定の中で個々の柔軟性とバイタリティーが最大限に発揮される。求める最大公約数は、より自由で民主的な生活だ。誰もおきざりにしないことを目的とした問題解決モデルは、政治だけでなく、私たちの仕事や生活にも応用できるだろう。

向き合って、受け入れて、対処して、手放す

まず「問題を見つける」一番簡単な方法は、その問題に実際に直面した人の話をよく聴くことだと思っています。どんな状況に置かれているのかをありのままに説明できるのは、その立場にいる人だけなのですから。

言い換えれば、**各当事者の側に立って、たくさんの当事者からひたすら話を聴くこと。これが問題を一番手っ取り早く見つける方法です。**

その後の問題解決プロセスは二つの段階に分けられます。

最初の段階は「門を開けて車を作りますよ。自分もできるという人は、どうぞここでやってください（開門造車《カイメンザオチャー》、你行你来《ニーシンニーライ》）」（注2）と呼びかけることです。**これは問題に直面した人それぞれにその人なりの解決策があるはずだから、よい案があったらまずは提案してくださいという意味です。**

次の段階は、**いろいろな解決策が集まったら一歩引いて、みんなに共通する価値観が集**

まっている場所に立ち返ることです。そうやって問題に取り組めば、より簡単に解決できます。

賛成者側と反対者側の双方の意見を視野に入れられるようになる、もしくはそれ以外の人の意見も考慮できるようになるには、繰り返し練習するといいでしょう。何かを提案する際には、次のようなことを考えてみてください。

- **この提案によって悪影響を被るのは誰か**
- **もっとよい解決策はないのか**
- **別の視点からアイデアは出せないのか**

自分へのこうした問いかけが習慣化すれば、常に頭の中で多様な意見にフォーカスするようになり、アイデアに統一感が生まれて、みんなに共通する価値観がいつしか浮かび上がってきます。

2020年に法鼓山で講演した際に、**「向き合って、受け入れて、対処して、手放す」**

という聖厳法師の箴言《しんげん》をいただきました。ですが、実はそれより前から私はこの四つのキーワードを、インターネット上のオープンソースコミュニティでプロジェクトを行うときのプロセスに置き換えていたのです。

まず「向き合う」ですが、例えば私が放棄した知的財産権に対し、ほかの人が斬新なアイデアを出してもいいわけです。私がもともと考えていた形と違っているかもしれませんが、私もその人のやり方のほうがいいと思う可能性もあります。

つまり「すべての情報が共同執筆《wiki》される」というプロセスの中では、まずは私がその人のやろうとするイノベーションを理解して、そのあとそれを私の中にコピーする必要があるのです。これが（それに）**「向き合う」**ということです。

次に、その人が変更した部分が私の考えていた形とは少し違っていて、しかも私の案よりも優れていたら、私は自分のやり方にこだわらなくなるでしょう。これが**「受け入れる」**プロセスです。

受け入れたということは、その人のアプローチのほうが優れていると認めたわけですから、次はそのアプローチをプロジェクトに取り入れます。これが**「対処する」**です。

最後に行うのは、それを推進して世界中とシェアし、その成果物の独占権を放棄することです。これが**「手放す」**ことです。

このように、国際的なオープンソースコミュニティの習慣と聖厳法師の箴言は、まったく違う世界の話のように見えて実は共通しているのです。

私に言わせれば、文脈構造とは概念同士が組み合わさった状態を表しているのです。例えば、「まずは向き合って、受け入れて、対処して、手放す」(という文脈)は(一連の行為の順序を入れ替えることのできない)線形構造を成しています。

ですが「行動とつながりと拡張」であれば、(この三つの概念は)互いに支え合う三角形構造を成しています。

このように構造と概念は一体構造を成しています。化学式と同じように、その構造から外れることができないからこそ、意義が生まれるのです。ですから、思考プロセスの中で句読点や言葉や構造を一つ抜いただけで、私の頭の中でアイデアは形にならなくなります。

一人ではなく、みんなで価値を創り上げる

2006年にブラジルで開催されたフリーソフトウェア国際会議（Congresso Internacional de Software Livre, CONISLI）の基調講演「-OFun：楽しみの最適化（Optimizing for Fun）」で私は、世界中に散らばっている分散型チーム（注3）のメンバーを率いてプログラミング言語Perl6（オープンソースコードの一つ）を開発したときの経験を、次のようにまとめて発表しました。

- **明確な未来予想図を持ち続けよう**
- **許可よりも寛大さを**
- **膠着《こうちゃく》状態を打ち破れ**
- **共通認識は求めず、創造性だけを追求しよう**
- **コードを使ってコンセプトを説明しよう**

これらの項目は、小規模な分散型チームには特に適しています。ですから私たちがソースコードを開発する場合は、チームメンバー同士の知識のシェアを特に重視しています。

また、設計プロセスの中で複数の候補が挙がった場合は、各プランを積極的に実行し（向き合って実際に行動する）、それらの設計空間を詳しく調べて、起こりうる衝突をあらかじめ解決しておきます（受け入れて、問題を解決する）。

このプロセスでもっとよい設計が見つかったら、プロトタイプ全体を書き直すことになってもいいのです。

リアルな交流は存在しないのに、**「向き合って、受け入れて、対処して、手放す」という問題解決における共通の価値観が、お互いの信頼関係と友情を育み、もめごとを最小限に抑え、ソースコードの開発を喜びに変える手助けをしてくれるのです。**

「真剣に話し、真剣に聴く」というシンプルな原則

オープンソースプロジェクトを進めるうえでも、あるいは私の思考やロジックでも、コンテクストや文脈構造は一貫しています。

雑談でも同じです。ものごとをなんでも複雑に考えようとすると、まるで自分でそれを予言したかのように、結局複雑になってしまいます。

ですが、簡単なことならどうでしょう。真剣に話をして互いに耳を傾けるでしょうし、

たとえ別の場所にいたとしても、電話やテレビ電話でコミュニケーションを取る方法を考えるでしょう。相手とただ真剣に話す――この原則を維持していれば、複雑なことなど何もないのです。

私に言わせると、雑談は本来、意義を生み出すものです。

例えば私が執務室で取材を受けているとき、来訪者の目的は毎回異なっているのに、私の話は最終的に必ず「持続可能な開発」や、「公共の利益」といったテーマに帰結します。これは私がものごとを見る視点や思考する文脈、価値観が常に同じで、安定しているからです。

視点や価値観を一定に保つことは決して難しくはありません。自分が80歳になったと仮定してください。今日が人生最後の日だと思って毎日を大切に過ごしたり、一瞬一瞬が最後の瞬間だと思ったりするのは、案外簡単なことではないでしょうか。

ある程度の年齢になると、人は自分の人生に智慧《ちえ》が蓄積されていると感じるようになります。ですから、若いころに公共の利益や持続可能な開発について考えたことがなかったとしても、今ならもっとたくさんのことを社会に提供できるはずです。これはポジティブな考え方と言えるでしょう。

注1　vTaiwanシステム

vTaiwanとは、政策の策定や法令の制定プロセスの透明化に市民が参与する社会実験であり、このプラットフォームには、フォーラム、照会、記録、テレプレゼンスといったデジタルツールが集約されている。各トピックを①意見の募集、②討論、③提案、④草案、⑤決定の五つの段階に分けて運営している。

注2　開門造車《カイメンザオチャー》、你行你来《ニーシンニーライ》（門を開けて車を作りますよ。自分もできるという人は、どうぞここでやってください）

ことわざの「閉門造車」をオードリーがもじって使いだしたもの。閉門造車出門合轍（もんをとじてくるまをつくり、もんをいでてわだちにごうす）とは、「一人閉じこもって大八車を作ったが、できあがって門を出ると、すでに同じようなものがあった」という意味で、一般には狭い世界に閉じこもって独りよがりでいるのではなく、広い視野を持とう、という戒めとして使われる場合が多い。彼女はこれをもじって「門を開けて車を作る」、すなわち広く大勢の意見を取り入れて開発するという意味で使っている。

注3　分散型チーム

同じオフィスに毎日同じ時間に出社して、リアルタイムに顔を突き合わせて同じ空間で働くのではなく、世界中に散らばった（分散している）仲間がオンラインでつながり、国や時差を越えて一つのプロジェクトを推進するチーム。

6 **雑談は本来、意義を生み出すもの**です。

7 ある程度の年齢になると、人は自分の人生に智慧が蓄積されていると感じるようになります。ですから、若いころに公共の利益や持続可能な開発について考えたことがなかったとしても、**今ならもっとたくさんのことを社会に提供できるはず**です。

1 「問題を見つける」最も簡単な方法は、**各当事者の側に立って、たくさんの当事者からひたすら話を聴くこと**。これが問題を一番手っ取り早く見つける方法です。

2 問題解決プロセスは二つの段階に分けられます。最初は、問題に直面した人それぞれにその人なりの解決策があるのだから、**よい案を思いついたらまずは提案してみようと呼びかける**段階です。

3 次の段階は、いろいろな解決策が集まったら一歩引いて、みんなに**共通する価値観が集まっている場所に立ち返ること**です。

4 リアルな交流は存在しないのに、「向き合って、受け入れて、対処して、手放す」という問題解決における**共通の価値観が、お互いの信頼関係と友情を育み、もめごとを最小限に抑え、開発を喜びに変える**手助けをしてくれるのです。

5 雑談でも同じです。ものごとをなんでも複雑に考えようとすると、まるで**自分でそれを予言したかのように、結局複雑になってしまいます**。

KEYWORD 02

エンパシー

問題と向き合う

「傾聴」は問題解決の基本

問題解決における最初のプロセスは、「向き合う」こと。当事者と対話し、問題を見つけ、向き合う。その際、オードリーが重視しているのが「傾聴」だ。

8回のインタビューの中で、さまざまなテーマに沿って取材を進めたが、オードリーはどんなテーマのときでもほぼ毎回、「傾聴」を引き合いに出した。**相手の話を理解する唯一の方法は、相手の話に真摯《しんし》に耳を傾けることだ、と彼女は言う。**相手の話が終わってもいないのに口を挟めば、共通認識も生まれず話し合いも決裂しかねないからだ。

オードリーは、誰かとの対話はすべて知識のインプットであり、それは粘り強い対話に存在する「傾聴と尊重」という二つのキーポイントの上で成り立つのだとも話している。つまり対話する際には、まず相手の話を聞いて理解する必要がある。最初に「聴く」すべを身につけなければ、コミュニケーションは継続できないからだ。

人は誰しも自分の価値観に沿って人の話を判断する傾向がある。そのため、一つの「言葉」に対し百通りの「聴き方」が生まれ得る。話を聞いても正しく理解していなかったり、言外の意味や相手の真意をくみ取れていなかったりすると、共通認識が生まれるどころか、対立のきっかけにもなる。

職場で人の話をおざなりに聞いていれば人間関係にひびが入るし、誤解から会話が弾まなくなって仕事も滞るようになるだろう。他人や自分の内なる声を聞き取ることができず、メッセージに対する思考力が欠けていれば、組織や個人の継続的な成長をサポートすることも難しくなる。

常に、相手の側に立って行動する

左右の脳がバランスよく発達し、「脳波で発電できる」とまで噂されたこともあるオードリーは、取材の場でも進んで「傾聴」を実践している。

最初の取材の際、昨夜午前3時まで眠れなかったと話した。すると彼女は初対面の私のコンディションを直ちに理解し、その後の対話でもこちらが質問をすべて言い終えるまで辛抱強く待ち続け、あえてゆっくりとした口調で答えてくれた。

つまりこちらの状況や思考に対しエンパシーを抱き、私の思考の文脈に耳をすませて、伝えたい内容を分かりやすく表現してくれたのだ。

そんな簡単なことは誰にでもできる、と思うかもしれないが、よく考えてみてほしい。誰かが「昨日の夜、よく眠れなかったんだ」と言ったとき、私たちは、相手の体調があまりよくないことは理解できても、すぐに目の前の仕事で頭がいっぱいになるか、時間がないことを理由にしてすぐ本題に入るだろう。

エンパシー（知性や経験に基づいた理解）によって相手の側に立ち、よく眠れなかったという相手の感覚を物理的にも理性や思考においても感じ取る。なおかつシンパシー（傾聴による相手の気持ちの理解）によって対応することは、口で言うほどたやすくはない。

我々がコミュニケーションを難しく感じるのは、「自分が考えたこと」や「自分が言ったこと」と「相手が聞いたこと」との間に、しばしば大きなギャップや相違が生じるからだ。

オードリーは「傾聴」を実践することで相手の側に立ってそのようなギャップを埋めているのだ。

自分の経験に基づいて相手を理解する

問題解決の大前提である「対話」の最初のステップは傾聴です。相手の感じ方を進んで受け入れて、エンパシーを抱き、それから何らかの反応を返すことです。誰かと対話するとき、私はあまり自分に集中してはおらず、ほとんどの感情を相手と同調させています。

「間主観性（intersubjectivity：二人以上の人またはものごとにおいて同意が成り立っている状態。相互主観性）」が存在しているような感じです。

ここでいう「エンパシー」とは、相手のコンディションがよくないから、自分もそのよくない状態に合わせるのではなく、自分自身の経験に照らして相手を理解しようと試みることです。

例えば、あなたが「昨晩はよく眠れなかった」と言ったとしたら、自分ならそんなときにどんな感じがするだろうと考えることから「エンパシー」が生まれます。自分が過去に体験した類似の経験に基づいて、もし自分が睡眠不足だったら、誰かと話をするときには、相手には一気にロジックや理論に入るのではなく、ゆっくり話してほしいなとか、例を多めに挙げて説明してほしいなと考えるわけです。

つまりこれは、対話を通じて感情移入が生まれ、それから共感が生まれてエンパシーに至ることを意味しています。

「エンパシー」は、自分の経験から生まれるものであって、単純な同情心ではありません。相手の心の声に耳を傾け、それから自分の経験に基づいて相手の状況を想像し、理解することです。まず相手の話を真摯に聴けば、自分が口を開くときにはすでにエンパシーを使って話せるようになっています。

これは最も基本的な対話プロセスでしょう。エンパシーを表す「同理《トンリー》」の「理」は「知識」を意味しています。そうでなければ単に「同情」と呼ばれるはずです。

一方、シンパシーとは、感情の共有、つまり共感です。私は、そのときの相手の話すスピードや口調なども含めた、相手のオリジナルメッセージに対し、相手と協調しながら反応しています。そういう場合、私の心は感受性が高くなっているようです。そのときどきに感じるものに反応しており、こういうふうにしようとあらかじめ計画しているわけではありません。

ちなみに、ユーモアのセンスもシンパシーの一種でしょう。ユーモアがあれば双方がもともと抱いていた感情を、楽しく、建設的でポジティブなものに変えることができます。

何かを話すとき、私の頭の中では文脈構造が完成しているので、順を追って一歩一歩話を進められます。ですから感受性とシンパシー（のチーム）と、理性と思考（のチーム）が互いに支え合っていると言えるでしょう。逆に、一方がもう一方を押さえこむことはありません。

コミュニケーションを図るときは、相手の現在の状態を頭の中で再現していますが、もし二つの（チームの）うち、例えば感受性とシンパシーは感じているけれど理性と思考は欠けているといったようにどちらかが不在だったら、コミュニケーションはただの独りよがりになってしまいます。

理性と思考は存在しているが感受性とシンパシーが欠如しているという場合もそうです。いずれの場合もスムーズなコミュニケーションは図れません。

このようなコミュニケーションプロセスは、シミュレーションしてできるものでも、無理やり頑張ればできるものでもなく、アクティブリスニング（注1）と相手の話を中断しない聴き方を練習する必要があります。

人の話を聴くときは、ただ黙って聴くだけでなく、頭の中に反論や意見が湧いてきてもそれらは無視して聴き終えるように心がけていれば、早急な判断を下さなくなるでしょう。この練習を3週間続けると、対話力がつき始めます。

わずか10分間で対話力をアップする簡単な方法

頭で考えるよりも、実践あるのみです。一番簡単な方法は、友達や家族をこんなふうに誘ってみることでしょう。

「ちょっと私に付き合ってもらえないかな。5分間は絶対にあなたの話に口を挟まないと約束するよ。5分たったら私が、あなたから聴いた話の内容を説明するね。その後で今度は私が5分間話をするから、黙って聴いてほしい。試しに一度、練習してみよう」。

この10分間の「傾聴」練習では、お互いに5分ずつ持ち時間があります。最初の5分は相手が話してあなたが聴く時間、次の5分は、相手の話を聴き終えたあなたが、何を聴いたか話す時間です。このような簡単なトレーニングで対話を深めていくことができます。

対立から対話へ進む世界

少々話が大きくなりますが、例を挙げましょう。

台湾と日本の両国はそれぞれ、921地震（1999年9月21日に台湾中部で発生したマグニチュード7・6の大地震）と東日本大震災を経験し、抗えない脅威に直面した私たちは、大自然に対し畏敬の念と謙虚さを抱きました。

しかし別の見方をすると、エンパシーと共感によって、文化の違う両国の間に対話のきっかけが生まれたとも言えます。台湾で921地震が発生したとき、「社会部門《ソーシャルセクター》」と呼ばれる多くのボランティアが助け合いの力を発揮しました。東日本大震災を経験した日本の皆さんなら、私の言う社会部門の重要性を身に染みてご存じだと思います。

ですが台風や地震を経験したことのない多くの国では、私たちが感じている意義、つまり災害時の助け合いの重要性を人々が感じることはないのです。

対話とは自分と人との間の会話だけを指すのではありません。自分と文章との対話や、

インターネット上でメディアによって実現される、公共の利益を出発点とする対話、いわゆるアナーキズム（無政府主義）状態の対話までも該当します。

例えば国民には選挙権がありますから政策決定に実際に参与できますし、自由で民主的な社会では誰でも「オードリーはバカげた政策を決めたものだ！」と批判の声をあげることができます。実はそうなったときこそ、その人との関係を修復するチャンスなのです。

これが公的部門に所属している人間のメリットでしょう。すべての市民が顧客《クライアント》なのです。もし私が一般企業の人間だったら、私と私が担当する顧客との間でしかこんなことは起きないでしょう。

ですが公的部門の人間にとっては、すべての人が顧客であり、すべての声が智慧なのです。意思決定は、それぞれが持っているジグソーパズルのピースによって形成されるものです。そうでなかったら、パズルのピースが未来予想図に変わることはないでしょう。

例えば台湾の公共政策インターネット参加型プラットフォーム「Join」では、5000人を超える賛同を得られた提案に対し、関連部会は回答が義務付けられています。

「Join」には非常に多くの提案が寄せられますし、参加者同士も討論しています。つまりここではある種の対立状態が起きていて、誰かが「この教材は学校には要らない」と主張すれば、別の誰かが「いや絶対に必要だ」と反論したりしています。

こうしたプラットフォームでさまざまな話し合いが行われるなか、私たちにできることは、対話の透明性を高めて公開し、参加者全員を巻き込んで、さらなるコンセンサスが得られるようにすることです。

「私たちはこれまで、民主とは二つの価値観の対立だと思っていた。だがこれからは、民主は多様な価値観の間で行われる対話でなければならない」。

これは蔡英文《ツァイインウェン》総統の就任演説の一部で、私はよくスピーチの冒頭でこの言葉を引用しています。**「対立」から「対話」への転換は、この時代に生きる私たちの使命です！** 国民に迅速に回答し、血の通った民主政治を実現するのです。

２０２０年のアメリカ大統領選挙では、当選したバイデン氏が「我々はライバルかもしれないが敵ではない。我々はすべてアメリカ人だ」と述べています。ここに込められているテーマは、蔡総統が就任演説で述べたこととほぼ同じと言えるでしょう。

そして、私たちもまた（台湾社会に存在する従来型の）青陣営（主に国民党及び統一派）と緑陣営（主に民進党及び独立派）の対立、あるいは世界観や歴史観の違いによる対立が、今のような同舟一命（みんなが一つの船に集り、運命を共にする）の状態へと発展するプロセスを目の当たりにしてきました。

それはまさに、エンパシー、共感、共通認識のもとで、対話を限りなく積み重ねて生まれた光景なのです。

注1 **「アクティブリスニング」(active listening)**

アメリカの臨床心理学者カール・ロジャースが提唱した、相手の言葉を進んで〝傾聴〟する姿勢や態度、聴き方の技術。「積極的傾聴」。受容の精神と共感的理解をもって相手の話に耳を傾け、その言葉の中にある気持ちや考えを理解し、その本質を明確にすることで問題解決に導く聴き方。

6 **すべての声が智慧なのです。**意思決定は、それぞれが持っているジグソーパズルのピースによって形成されるものです。

7 私たちにできることは、対話の透明性を高めて公開し、**参加者全員を巻き込んで、さらなるコンセンサスを得られるようにする**ことです。

8 **「対決」から「対話」への転換**は、この時代に生きる私たちの使命です！

1 問題解決の大前提である**「対話」の最初のステップは傾聴**です。

2 「エンパシー」とは、相手のコンディションがよくないから、自分もそのよくない状態に合わせるのではなく、**自分自身の経験に基づいて相手を理解しようと試みること**です。

3 「エンパシー」は、自分の経験から生まれるものであって、単純な同情心ではありません。**相手の心の声に耳を傾け、それから自分の経験に基づいて相手の状況を想像し、理解すること**です。

4 人の話を聴くときは、ただ黙って聴くだけでなく、**頭の中に反論や意見が湧いてきてもそれらは無視して聴き終える**ように心がけていれば、早急な判断を下さなくなるでしょう。

5 **対話とは自分と人との間の会話だけを指すのではありません**。自分と文章との対話や、インターネット上でメディアによって実現される、公共の利益を出発点とする対話、いわゆるアナーキズム（無政府主義）状態の対話までも該当します。

KEYWORD 03

多重視点

ブロードバンド接続は人権である

博学で広い見識を備えたオードリーは、活発な対話を通じて自分で答えを模索するように我々を促してくれる。彼女と話していると心が躍るのは、その独特の視点によって刺激を受け、我々の脳回路が活性化するからだろう。

自由に対する価値観について、オードリーは独自の主張を貫いている。

インターネット社会が隆盛を誇る今、オードリーは「ブロードバンド接続は人権である」という概念を打ち出した。

インターネット回線につながることさえできれば、みんなで考えてみんなで決定を下すことができるからだ。しかし回線がつながらない場所があったら、そこは民主社会から排除されることになる。

そのため、たとえ4000メートル級の玉山頂上付近でも毎秒10MBの速度でライブ放送ができるようにネット環境が整備された。台湾では「ブロードバンド接続は人権」は重要な政策に位置付けられている。

多重視点がもたらす自由

オードリーの持つ多重視点と「すべての人の側に立つ」という概念は密接に関係しているだけでなく、そのどちらも「傾聴」をベースとしている。彼女はすべての人の声を傾聴してそれらを懐深く受け入れることによって公共の利益を実現しているが、この姿勢はオードリー自身があちこちで「使用」されている場面に遭遇したときも変わらない。

例えば客家委員会（注1）は、彼女の写真を二次創作して客家伝統歌曲の歌詞「唐山過台湾」をもじった「唐鳳過台湾」というキャッチコピーを添え、経済部中小企業センターは広告用に、彼女が仙人のように天に昇って脳波ですべてをコントロールしている図案をデザインした。

オードリーは、自分の知らないうちに行われたこれらの二次創作も芸術作品を鑑賞するように眺め、ときには苦笑しながらその意図を理解して楽しんでいる。

「社会の中のコミュニティ全体を複数の視点から眺めることで、地方（あるいは政策推進）の健全化をより促進できる」。

オードリーが参加したいくつかの公開フォーラムを見ると、スピーチするたび、このようなメッセージを発していることが分かる。**多重視点を持つことが大切である、と彼女がたびたび強調するのはなぜか。それは自由で柔軟性のある空間における共通認識および、そこから生まれる創造性を重視しているからだ。**

思索や観察が必要な場面になると、オードリーは一般的な二次元・三次元の概念を使わずにインターネットの世界に存在する多次元を使って対処しながらも、柔軟性のある空間を残して互いの違いを尊重している。

情報が錯綜《さくそう》する今日、こうした多元的な視点を持ち、相手を柔軟に受け入れる姿勢でいることは、私たちが人生や生活を整理することに役立つのではないだろうか。

多重視点というエンパシー

私は常に「すべての人の側に立つ（take all the sides）」ことを提起しています。ですが、取りこぼされた立場があることに気づいた場合は、その人の視点を読み取って、私のポジションをその立場に移動させてしばらく生活してみなければ、私が真の意味でその人の視点を手に入れることはできないだろうと感じています。

そのため、まずは、「多重視点」で傾聴する必要があるのです。

ここで私が「多様な視点」という言葉を使わない理由を説明しましょう。「多様な視点」という言葉はつまり、その部屋の中にさまざまな視点が存在する状態を指しています。この場合、それらの視点はその部屋にいる複数の人々がそれぞれ持っている視点というイメージでしょう。

一方、私の言う「多文化主義（transculturalism）」や「多重視点」とは、私という主体（私自身）に発生するものです。要するに私は一つの空間の設計者として、それぞれの人の立場を十分に代弁できる多重視点という能力を頭の中に備えていなければならないのです。

このように、自分の中にさまざまな視点を積極的に取り込むと、ものごとをより深く理解できるようになり、当然ながら知識も増えます。

つまり、広い知識を備えた人しか「多重視点というエンパシー」を実践できないのではなく、「多重視点というエンパシー」を実践すればその分だけ知識が増えるのです。これは練習すればできるようになります。

ちなみに、エンパシーを表す「同理《トンリー》」の「理」という字は「情」ではなく「知識」を意味しているのです。

一つの視点に偏ると、ゼロサム思考しか生まれない

例えば、最近私が読んでいる『The Routledge Handbook of Epistemic Injustice（未邦訳）』は認知の過程を「不当」という角度から研究したものです。この観点には、いわゆる社会の主流の視点ではなく僻地《へきち》の人や農業・漁業従事者の視点に立つことによって、「勉強以外のものに価値はない」という固定観念を修正できるというメリットがあります。

つまり、社会の主流とは逆の視点が、いわゆる主流の価値観を修復するきっかけとなるのです。その視点はゆっくりと、でも確実に広まってゆくものです。やがて、たくさん勉強したから自分はすごいのだといったうぬぼれは手放せるようになります。

すべての声が智慧なのです。私たちが言論の自由を欲するのは、多様な見解や複数の視点を求めているからなのです。

何かを見たり考えたりするとき、たった一つの視点や文脈に沿って論議する方法しかないのではあまりに窮屈です。そこからはゼロサム（片方が得をするともう片方が損をする状況）の結論しか生まれないでしょう。

もっと多くの視点を取り入れて考えれば違った見方ができるようになります。結論を一つしか持てないのは別の視点が欠けているからではないか、という疑問も解決できるでしょう。

多重視点で考えていて、双方の意見を両立させづらくなった場合はどうしたらいいでしょうか。

当然ながら私はすぐに拒否せずに、ほかにもっといいやり方はないでしょうかと問いかけます。この方法は、人から批判を受けたり教えを聴いたりするときの態度と同じです。**自分に足りないところがあることを認めたうえで「你行你来（自分もできるという人は、どうぞやってください）」と提案するのです。**

この二つは同時に行わなければなりません。先に拒否だけしておいて二週間もたってから、「もっとよい方法を思いつきましたよ」と告げることはダメなのです。私が拒否するときは同時に、相手に対して、こうするのはどうでしょう？　ああするのはどうでしょう？　と問いかけるようにしています。複数の視点を包摂（インクルージョン）することで、一貫した価値観が生まれるのです。

たくさんの視点を自分の中に蓄積する

私がトランスジェンダーだという話を議論したがる人も多いのですが、これも多重視点で見ることができるでしょう。

私自身はちょうど抽象画を観るときのような、鑑賞者としての視点を選択しているのです。その絵をちょっと見ただけでは、画家が何を伝えたいのか分からない、あるいは色が三つ並んでいるだけの絵のどこによさがあるのか分からないと感じるかもしれません。

ですが、無理やり理解する必要はありません。どんな感じ方をしようが、どれも視点の一つですから。鑑賞者としての態度を保ってさえいれば、その画家が何を伝えたいのか、いつか分かる日が来るでしょう。

もちろん現代社会の中では、自分にラベルが何枚も貼られていると感じることもあるでしょうが、実はその体験によって、サルトルの言う「地獄とは他人のことだ」（注2）を自分が自覚できていることに気づけるのです。他人への不当なラベル貼りから脱却する唯一の方法は、構造的な方法によって他人を理解することですが、そうするためには多重視点を取り入れて、絶えず修正を重ねていく必要があります。

しかも、別の人が将来こうした状況に置かれる確率を下げなければ、他人にラベルを貼りたがる思考から抜け出したとは言えません。

これはたくさんの視点が自分の中に蓄積されてゆくプロセスですが、一本の正確な水平線に向かって走っていれば、いつか地平線と水平線が重なり合う日が来るでしょう。その光景を幻のままで終わらせたくないなら、多重視点を増やし続けながら、繰り返し他者と共創していくことが大切です。

注1　客家委員会

台湾行政院が管轄する委員会の一つ。客家伝統文化の保存などを目標に掲げている。

注2　「地獄とは他人のことだ」

哲学者サルトルの戯曲『出口なし』の一節。他人からの完全な理解は難しい一方、そうした他人なしでは人は生きていけない。他人とせめぎ合いながらも共生して生きていかなければいけない状況を、サルトルは「地獄」と表現している。

6 自分に足りないところがあることを認めたうえで**「你行你来（自分もできるという人は、どうぞやってください）」と提案する**のです。

7 無理やり理解する必要はありません。どんな感じ方をしようが、どれも視点の一つですから。**鑑賞者としての態度を保ってさえいれば、その画家が何を伝えたいのか、いつか分かる日が来る**でしょう。

8 これはたくさんの視点が自分の中に蓄積されてゆくプロセスですが、**一本の正確な水平線に向かって走っていれば、いつか地平線と水平線が重なり合う日が来る**でしょう。

1 私の言う「多文化主義」や「多重視点」とは、私という主体（私自身）に発生するものです。要するに一つの空間の設計者として、**それぞれの人の立場を十分に代弁できる多重視点という能力を頭の中に備えていなければならない**のです。

2 **自分の中にさまざまな視点を積極的に取り込む**と、ものごとをより深く理解できるようになり、当然ながら知識も増えます。

3 広い知識を備えた人しか「多重視点というエンパシー」を実践できないのではなく、**「多重視点というエンパシー」を実践すればその分だけ知識が増える**のです。

4 すべての声が智慧なのです。**私たちが言論の自由を欲するのは、多様な見解や複数の角度を求めているから**です。

5 何かを見たり考えたりするとき、**たった一つの視点や文脈に沿って論議する方法しかないのではあまりに窮屈**です。そこからはゼロサム（片方が得をするともう片方が損をする状況）の結論しか生まれないでしょう。

KEYWORD 04

取捨折衷

機械学習と民主主義

2020年、新型コロナウイルス感染症のパンデミックという未曽有の危機の中で、私たちは弱者と強者のふるい分けという試練に直面した。二度と立ち上がれないほどのダメージを負った人もいれば、逆張りや自己投資に励んで夜明けを待つ人もおり、それは企業も同じだった。そしてリモートワークや巣ごもり消費が一躍脚光を浴び、人々のライフスタイルも変化した。

定額制動画配信サービスを提供するネットフリックスの成功はその一例だ。同社はサービス開始直後からテレビドラマの一挙放送を行って注目を浴び、個人の嗜好《しこう》に合わせたコンテンツの推奨と月額定額式の料金体系によって会員数を延ばしてきた。

「パーソナライゼーション（ユーザー一人一人に特化したユーザー体験の最適化）は、コンテンツでもハードウェアの統合においても、我々が日々追求し磨きをかけている部分だ」。これは2018年末に行われたシンガポール・アジア・イノベーション・カンファレンスで、プロダクト担当副社長のトッド・イェリンが行ったスピーチの一部だ。

ネットフリックスは膨大なユーザーエクスペリエンス情報を蓄積し、視聴動向の分析結果に基づいてユーザーに指向性の高い番組をプッシュしているほか、新番組を制作する際はそうした情報を判断材料にしている。

こうした機械学習モデルは民主主義をテーマとした活動にも活用できるのだと知ったら、誰もが興味を抱くのではないだろうか。

オードリーはオープンソースの情報収集プラットフォームPolis（注1）が開発された理由について、香港や台湾、ウォール街などで起きた占拠運動や「アラブの春」などの民主化運動のなかで、政府と市民の間には膨大で複雑なコミュニケーション上の課題が存在していることが浮き彫りになったからだと語り、Polisの数学理論は、実はネットフリックスのレコメンデーションエンジンとほぼ同じだとも話している。

世界は二項対立よりもはるかに複雑なもの

オードリーは2016年にイタリアのトリノにある「Scuola di Tecnologie Civiche（シビックテックスクール）」で行われた会議に参加した。当時イタリアでは、上院議員の権限の縮小と当時の首相の進退を決定づける憲法改正国民投票に国民の注目が集まっていた。

オードリーと40人の出席者は、主催者の求めに応じて非公開の環境で国民投票の模擬審議を行った。参加者が陳述書に対する意見を表明して意見マトリクスが作成されると、Polis機械学習アルゴリズムが自動的に動いた。

このときのテーマは国民投票だったため回答は間違いなく二極化すると思われていたが、実は民衆は複雑かつ微妙な観点に基づいてさまざまな意見を主張していただけでなく、現行の意見伝達プロセスに対する異議も熱心に表明していたとオードリーは述べている。つまり国民投票というテーマには、二項対立の回答しか存在しないどころか、逆に多種多様な意見や観点があふれていたのだ。

意見や観点が交錯しているからこそ、どの意見にも価値がある。よって協働には「包摂・協調・折衷《せっちゅう》」という三つの概念が不可欠だ。とりわけ、本項のキーワードである「取捨折衷」は、多くの選択肢の中から一つを選ばなければならないものではなく、複数の選択肢の中からよい部分を選び、組み合わせて活用するという概念である。

徹底的な透明性の確保という重要原則に反するケースに遭遇した場合、彼女は対話を止めるのではなく、話し合いを通じて折衷案を導き出している。私たちも生活の中で判断を迫られる瞬間に直面することがあるが、あえて白か黒かという二項対立を選ぶ必要はないだろう。

課題の背後にある先入観と向き合う

「ポッドキャスト」という言葉が登場する前からラジオ放送のプロフェッショナルは存在していましたし、多くの外国メディアも頻繁にラジオ放送を使って私を取材していました。ですがここ数年の間に音声や動画の編集ツールが一般化されたことによって、スマートフォンがあれば、放送局と同じことができるようになりました。

ほとんどの場合、場所を選ばなくて済むのです。以前は何かを放送したければ、スタジオまで出向いたり高性能の録音機材をそろえたりせざるを得なかったのに、今やポストプロダクションですべて解決できるのです。スマートフォンで映画撮影するようなものですね。何かを人に伝えたいと思ったら、自分がラジオ局のＤＪになってさまざまな声をあげることができます。言ってみれば、民主主義の具現化した状態と言えるでしょう。

アイデアや課題は次々と押し寄せてきますが、課題の背後にあるさまざまな先入観と向き合うことは私の楽しみでもあります。

最終的な共通認識や共通の価値観がまだ生まれていなくても問題ありません。それぞれの側に立って、多重視点を通じてさまざまな意見を包摂し、それぞれの立場（「多重視点」の項を参照）を徹底的に理解できるからです。なお、協働によって（包摂だけでなく）協調を実現するという課題もあります。

世界秩序と脅威に関するテーマを掲げた、ある年次国際戦略安全保障フォーラムに参加したときのことです。このフォーラムでは、議論の内容は非公開、発言は匿名とし、情報を外部に漏らしてはならないと定められていました。この規則は、それまで私が活動に参加する際に従ってきた「透明性」の原則に反していました。

私がオープンソースに関与する際は、基本的にすべての議論を透明にして公開し、たとえ少人数の議論であっても、新たな参加者があとからシェアできるように議論の内容が文章や映像で記録されます。

ですがこのときのフォーラムでは、公開討論しないだけでなく、あるグループにどうやって対処すべきかという議論が密室で行われるというのです。こんな状況は私には初めてでしたし、こうした活動には通常は参加しません。

しかし今、国際戦略コミュニティにおいて台湾の経験が非常に重要視されているため、こうしたやり方になじみがないからといって参加を断るわけにもいきませんでした。最終的にはビデオ参加したのですが、私が何か言う際にはほかの参加者の発言を一切引用せず、専用のカメラで私の顔と声を撮影して私の部分だけを公開するという折衷案を採用しました。

互いの信頼が、Win-Winを実現する

この折衷案はハッカー文化の中の徹底的な透明性を兼ね備えていますが、だからといって私はほかの参加者に自分と同じようにしろとは求めません。双方のコンセンサスが取れてフォーラムが終了した時点で、私のすべての発言内容はインターネットに公開されました。このようにすれば、双方のバランスが取れたことになるのです。

実をいうと、この方法で解を求められる範囲は非常に狭いのです。録音されるのは私の発言だけだと分かっていても、やはりほかの参加者は安心できないでしょう。私が発言中に万が一、「○○さんの発言はすばらしい」などと口にしてしまったら、このゲームのルールが破られてしまうからです。

ですから、この方法には相互信頼が必要です。私がルールを破らないことを相手が信頼し、私も相手を信頼すれば、オードリーが徹底的に透明な方法を採用するからオードリーを参加させるなとか、オードリーの前では発言したくないなどという人は出てきません。

互いの信頼関係があれば、私たちはWin-Winを実現できるのです。

問題の折衷や解消が必要になる場面は、日常生活で頻繁に発生します。私が小学校時代にいじめに遭っていたことをご存じかもしれませんが、私の解決方法は、いじめっ子のことを進んで理解することでした。理解できたら、復讐するのではなく構造的にいじめが二度と起こらなくなるような新しいやり方で、同級生と交流するようにしました。

なぜなら、問題に対する反応と解決が構造的に行われて、もともとの怒りや悲しみといった感情が昇華してしまえば、小説『モンテ・クリスト伯』で言う「恩には恩で報い、仇《あだ》には仇で報いる」という個人のレベルで停滞することもなくなるからです。つまり、憤りや復讐心にとりつかれもせず、暗い記憶が心に残ることも避けられるのです。

ですが、感情を個人レベルにとどめる、あるいは特定の集団に対するレッテル貼りや差別を拡大させると、ますます気分も悪くなるうえ、自分自身を向上させることもできなくなるでしょう。

（個人だけではなく）構造面に反応すれば、今後同じことが起こらないように対処できるのです。構造面から新たな行動を起こすことで、自分が二度と同じ目に遭わないようにできるだけでなく、他の人がいじめに遭う確率も下げることができるでしょう。

「共通認識」にこだわらず、柔軟に進む

以前、ある講演で「『共識《ゴンシー》（共通認識）』は求めず、創造性だけを追求する」方法について述べました。

「共識」には二つの意味があります。一つは「私たちに共通する認識（共通認識、common understanding）」ですが、これをこのまま「コンセンサス（意見の一致）」と英訳することはできません。つまり、「共識」は、あくまで共通する認識であって意見の一致ではないからです。

もう一つは「私たちが一つの契約を合同で承認する」という意味ですが、この場合の相手は自分の仲間内の人間ではなく、外部の誰かです。この場合の「共識」は、自分と外部の人間で、その契約を遵守するものです。

ですが私が伝えたいのは、みんなが反対しない状態になっていればそれでいいし、契約

書への署名に全員が同意した状態を求める必要はない、という点です。創造的な空間はそのような状態からしか生まれないからです。

例えば私たちが以前にUberがシェアリングエコノミー（消費者がモノや場所、スキルなどを必要な人に提供したり、貸し出したり、共有したりする経済活動やサービス）に該当するかどうか議論したときに、最初に非常に細かい共通認識を求めていたら、そもそもシェアリングエコノミーとは何ぞやというところから議論せざるを得なかったでしょう。

というのは、ライドシェアサービスはシェアリングエコノミーではなくギグエコノミー（インターネットを通じて単発の仕事を受注する働き方や、それによって成り立つ経済形態）やプラットフォームエコノミー（アプリなどのプラットフォームを通じて行われる経済活動）だと言う人もいれば、「シェア」するのはその人の時間であり、隙間時間や通勤時間にちょっと小遣い稼ぎをする時間銀行のようなものだと考える人もいるからです。

「シェア」という言葉の解釈は人によって少しずつ異なるため、この言葉をめぐる論争に共通認識が生まれる日は永遠に来ないでしょう。

Uberについて検討した際、私たちが詳細な共通認識を求めなかったのは、10年間かけても結論が出ないだろうと思ったからです。その代わりに「職業運転免許証を取得していないドライバーが、通勤中と帰宅中に他人を乗せて一日に20往復ほど走って料金を徴収しました。これについてどう思いますか？」というはっきりした事例を挙げて具体的に議論しました。

すると反対ではないが、契約書に署名する必要はないと人々が考えていることが分かり、最終的に今のような多元化計程車方案（多様化タクシープラン）ができあがりました。

しかしその間、シェアリングエコノミーの定義が必要となる場面にはまったく遭遇しませんでした。**つまり、言葉の意味にこだわる必要はないのです。定義できないものに固執すると、そこから先に進めなくなってしまうからです。**

コンテンツは、よりよい未来のために公開する

台湾ではブロードバンドの使用、通信、教育、学習、健康はどれも人権とみなされており、私たちが今、関心を注いでいるのはそこに5GとAI（人工知能）も含めることです。つまりどんな僻地でも、都市部と同様の5G、AIを使えるようにしたいのです。

なぜ私たちはブロードバンドの使用を人権とみなすのでしょうか。それは、国民にどんな背景があったとしても、ブロードバンドを使えばみんなに声をあげる力と権利があると

いう一種の「民主（主権在民）」が、実現できるからです。

私がこれまで話したり書いたりしてきた素材（コンテンツ）の透明性と公開、コンテンツの蓄積にこだわるもう一つの理由は、そうしておけば未来の誰かが、今の私には用途が分からないコンテンツの活用方法を思いついてくれるからです。つまり未来のために公開しているのです。

私は用途をまったく指定しませんし、どう使われても結構です。コンテンツが最終的にポッドキャスト、本、漫画などになっても気にしません。誰かが自分の役に立つと思ったら使えばいいし、ニュースや創作活動、出版、コミュニティで使うだけに限らず、ラップミュージシャンがインタビューの内容を歌詞にするなど、いろいろな使い方があるでしょう。もしかしたら塵《ちり》の一粒から花が咲くかもしれないのです。

注1　Polis

統計と機械学習を通じて、特定のグループの構成メンバーの意見や志向を収集、分析、理解するためのリアルタイムシステム。各国政府、独立メディア、研究者、市民の間で広く使用されているオープンソースである。https://pol.is/home

6 私がこれまで話したり書いたりしてきた素材(コンテンツ)の透明性と公開、コンテンツの蓄積にこだわるもう一つの理由は、そうしておけば未来の誰かが、今の私には用途が分からないコンテンツの活用方法を思いついてくれるからです。つまり**未来のために公開している**のです。

1 最終的な共通認識や共通の価値観がまだ生まれていなくても問題ありません。**それぞれの側に立って、多重視点を通じてさまざまな意見を包摂し、それぞれの立場（「多重視点」の項を参照）を徹底的に理解できる**からです。

2 **互いの信頼関係があれば、私たちはWin-Winを手に入れられる**のです。

3 **（個人ではなく）構造面に反応すれば、今後同じことが起こらないように対処できる**のです。

4 私が伝えたいのは、**みんなが反対しない状態になっていればそれでいい**し、契約書への署名に全員が同意した状態を求める必要はないという点です。創造的な空間はそのような状態からしか生まれないからです。

5 **言葉の意味にこだわる必要はない**のです。定義できないものに固執すると、そこから先に進めなくなってしまうからです。

STEP

2

問題を受け入れる

KEYWORD 05 ／ 持続可能な開発
KEYWORD 06 ／ 集合知
KEYWORD 07 ／ 不完全主義

KEYWORD 05

持続可能な開発

問題を受け入れる

SDGsで誰一人おきざりにしない社会を実現する

「持続可能な開発」はオードリーが自身の心に刻み込んだ課題だ。彼女は、17項目からなる国連の持続可能な開発目標（SDGs）で、簡単に口ずさめる覚え歌までつくっている。持続可能な開発をオードリーがどれほど重視しているかは、彼女の名刺に17個の目標を表すSDGsカラーホイールが印刷されていることや、リサイクル素材を使った藍染めのジャケットを愛用しているといった、たくさんの小さなエピソードからも十分に知ることができる。

こうした行動の背後には、循環型経済を実践し、SDGsの12番目「つくる責任　つかう責任」を果たすという理念が存在している。

彼女がSDGsの目標をさまざまな形で実践しているのは、より多くの人がSDGsへの理解を深め、SDGsが人々の共通言語や社会的使命になってほしいと願っているからだ。教育や貧困の問題から気候変動までのすべてのテーマは、私たちに深く関わっている。

子どものころからインターネットを通じて世界の知識の扉を開き、テクノロジーを駆使して自分を磨いてきた**オードリーが、デジタル担当政務委員に就任したときに抱いていた**

究極の目標は、テクノロジーを通じて公的部門と民間をつなぎ、持続可能な開発を実現することだった。

「持続可能な開発」は今や広く認知されている概念だ。各国がＳＤＧｓを開発計画と政策に統合する際、それを支援する役割を担っている国連環境計画は、早くも１９７２年に作られた。

その後２０１４年に「持続可能な開発目標」が定められ、２０１５年9月に「我々の世界を変革する：持続可能な開発のための２０３０アジェンダ」が国連総会で採択された。

そして今、２０３０年までにこの中の17個のゴールとそれに紐《ひも》づく１６９個のターゲットをともに達成するよう、世界中の人が強く求められている。「貧困をなくそう」に始まり、「飢餓をゼロに」、「すべての人に健康と福祉を」、「質の高い教育をみんなに」と続き、17番目の「パートナーシップで目標を達成しよう」で終わるＳＤＧｓは、全人類の段階的な発展方向を示すピラミッドのようだ。

前世代と次世代をつなぐという思い

この変革のすべてのプロセスは、誰かを犠牲にしなければ成り立たないゼロサムゲームでないばかりか、参加者すべてにメリットを与え、変革の最中でも「痛みもあるが喜びも伴う」幸福も同時に生み出すことができるものだ。

例えば新型コロナウイルス感染症の防疫中、未知のウイルスに襲われフェイクニュースに翻弄された人々はパニックに陥ったが、オードリーは「噂《うわさ》よりもユーモアを（humor over rumor）」と訴え、フェイクニュースをユーモアで否定する方法を世に広めた。各省庁もさまざまなイメージ・マクロを活用して、防疫情報を一目で分かるように伝えた。こうした方法は、言葉で長々と説明するよりも情報を正確に伝達できる。

こうした手法は、オードリーが台湾の防疫対策の特徴として強調した「Fast（素早く）、Fair（公平に）、Fun（楽しく）」にも反映されている。

これと持続可能な開発とは何の関係もないように思えるが、その主旨はユーモラスなイメージ・マクロの細部に宿っている。なぜなら、情報の透明化と人々への迅速な周知なしにして、この時代を振り返った後世の人たちが、過去を正確に把握し、同じ間違いを繰り返してはならないと理解することはできないからだ。

失敗を恐れずに勇気を持ってスタートすることも、次世代に引き継ぐ「持続可能な開発」だとは言えないだろうか。

企業は利益の追求それ自体によって環境保護を実践できる

私が着ている藍染めのジャケットは、ペットボトルとコーヒーかすをリサイクルした布地でできています。これも循環型経済の実践の一つであり、SDGsの一環でもあります。私が最も頻繁に実践し、力を入れているのはSDGsの16番目と17番目の項目です。

・SDGs16：平和と公正をすべての人に
・SDGs17：パートナーシップで目標を達成しよう

そしてこのSDGsの17番目「パートナーシップで目標を達成しよう」のテーマカラーが藍色なのです。

SDGsの構成から考えた場合、循環型経済や温室効果ガスの削減（気候変動）といったテーマはどれも、島国に住む人間にとってより切実です。島は海にぐるっと囲まれているので、海に目をやると浜辺が見え、浜辺にいると環境からの影響を肌身で感じるからです。

一方、広い大陸の内部にいる人は、自然の生態系が比較的身近にある場合を除き、都市化の進行や居住地が内陸部だといった理由で、気候変動に対しもっと鈍感です。

台湾の産業の特徴は中小企業が主体となっていることです。慈善事業やコミュニティへのサポートをSDGsの枠組みで考えなくても、実際には何を生産する場合も、彼らは常により革新的な、あるいはもっと環境意識の高い持続可能な方法で行っています。例えば私が今着ているペットボトルとコーヒーかすをリサイクルした服は、材料のイノベーションの成果です。

日本では比較的大きな企業がSDGsの目標とリンクした生産を行って、それをブランドに内在化させています。これは台湾が日本から学びたい部分です。官学連携や大学の社会的責任（USR）といった手段を通じた、つまり大学システムと提携した中小企業が、今自社で行っている事業をSDGsの枠組みと紐づけできれば、企業の国際的知名度がさらに上がるでしょう。

また、中小企業経営者はSDGsを活用することによって、自分と理念を同じくする新たなパートナーも見つけられます。以前は産業チェーンでつながった地元企業しか見えていなかったかもしれませんが、はるか遠くの国々の企業も同じSDGsというテーマに取り組んでいるのですから、みんなで一緒に取り組むべきなのです。

例えば台湾の水道会社が水漏れの自動検知にＳＤＧｓへの取り組みを絡めたところ、ニュージーランドの都市ウェリントンでも同じ問題を抱えていることが分かりました。

ほかにも、工場排水に汚染された農地で水質を測定しようとしていたら、ニュージーランドの酪農牧場も同じ状況に置かれていることが分かり、両国で類似の方法を使って解決することができました。

ですから、企業はＳＤＧｓに取り組みながら企業活動や年度計画を進める際、ちょっと公益性の高いことをしてお茶を濁すのではなく、利益の追求という行為自体によって環境にプラスの影響を与えることができるのです。

これには循環型経済や技術革新によって、環境ガバナンスに関する問題を解決するといったことも含まれます。

ＳＤＧｓの目標はみんなで一歩ずつ階段を上っていくようなもの

持続可能な開発というテーマは壮大です。ですから、私たちは何かを決定する際に、その代償として次世代を犠牲にすることのないよう、すべての決定事項を持続可能性という観点から検証する必要がありますし、これが終わる日はありません。

17個の目標は一歩一歩階段を上っていくようなもので、２０３０年にみんなで達成することが最も重要な目標だと考えています。

私がＳＤＧｓという概念を理解したのは２０１６年でしたが、ＳＤＧｓから個人的にも影響を受けたため、現在の名刺に17色のカラーホイールを入れました。私たちは以前から、オープンガバメントや循環型経済、持続可能な開発の推進に言及してはいましたが、そのころは各自がバラバラの目標を立てていました。

しかしＳＤＧｓの枠組みができてからは、それらの目標が補強し合って一つの包括的な概念へと姿を変えました。もし「２０３０年までに達成しなければならない目標がありますか？」と尋ねられたら、以前の私はあれもこれも話さなければと思っていましたが、今なら「持続可能な開発」とだけ答えます。

持続可能な開発目標の17番目「パートナーシップで目標を達成しよう」に関し、台湾には具体的な方法があります。

例えば、世界の科学と技術革新に関するあらゆる知識のシェアと連携を推進し、北半球だけですべての知識を独占するのではなく、南半球もオープン・イノベーション方式を使って発展できるようにすることです。

また私たちがデータを収集する際に、国家横断的な利用可能性を向上させる工夫をしているのは、単に気候変動のデータを集めたいからではありません。あくまで「持続可能な開発」を主目的にしています。

台湾は組織横断的連携において、かなりの成果を上げていると思っています。持続可能な開発ソリューション・ネットワーク（SDSN）にはSDGインデックスが設けられていて、世界各国の達成状況が表示されています。アジア太平洋地域で比較的成果を上げているのは日本で、次がニュージーランドです。

世界はもともと一つであり、いたるところに智慧はある

互いの国は遠く離れていても、私は、距離（パートナーシップ）は変わらないと思っています。

エチオピアの首都アディスアベバのスラムの話を例に挙げましょう。彼らは送電や食糧

自給率に関する問題や、マーケティングを通じて地元農産物に対する人々の理解を深めるといった課題を解決するために、新たな技術を導入したいと考えています。

私はアディスアベバで「社会企業世界フォーラム」に参加し、世界のオープン・イノベーションにおけるタピオカミルクティーの広まりについてシェアしました。

このとき私は、次のように感じました。

エチオピア人は台湾に税金を納めていないし、私の公務員としての給料も彼らが出しているわけではないのだから、このシェアは彼らに「仕える」ために行っているのではない。けれど、みんな同じ人類で、しかも私がそこ（アディスアベバ）を訪れたのは、祖国に帰ってきたのと同じことだ、と。

私たち人類発祥の地は東アフリカと言われているからです。誰もが祖国に対して何らかの貢献をする。これもすばらしいことです。

儒家と墨家の思想の違い（注1）から、さまざまな貢献の方法の糸口を見つけられます。

儒家の概念では、自分の隣近所や国から始まって、ゆっくりと発展して形成される文明が「華《ホワ》（中国の別名）」であり、それ以外の場所は「夷《イー》（外国の蔑称）」と呼ばれます。いわゆる華夷《かい》思想です（注2）。

儒家の思想においては、自分が仕える対象がその文明（中国）に近いほど、それにもっと仕えるようにと求められますし、仕える目的の一つは（自分たちの文明が）非文明的なものに破壊されないようにすることです。

ですから儒家の目には、南アフリカ産のルイボスティーを使って作ったタピオカミルクティーのベースが「華文化（中国文化）」と映ることはまずないでしょう。

ですが私の目から見ると、アフリカは人類の祖国でもあり、すべての人はもともと一つで、智慧はいたるところに転がっているのです。

一方で墨家の思想では、私たちが学ぶ技術や発明品、科学の原理はどの場所でも同じだと考えられています。この「どこでも同じ」という概念によって、文化の違う人をオープン・イノベーションに参加させることができるのです。

墨家の主たる理念は公理化システムであり、幾何学の原則とほぼ同じです。つまり普遍性を備えた真理はどこでも適用でき、論語の「君、君たり、臣、臣たり、父、父たり、子、子たり（君主は君主らしく、臣下は臣下らしく、父は父らしく、子は子らしくふるまう）」という人間関係からの影響を受けません。

墨家が説いているのは人間本来の愛です。**愛は、あなたと私が先に社会的関係を結んで**

いるから生まれるのではなく、私たちが同じ自然の摂理のもとで生きているから、そこに愛が生まれるのです。

このように、墨家と儒家の概念は大きく違います。

持続可能性を意識した生活をしよう

個人の場合はSDGsの目標との紐づけをどのように始めたらよいでしょうか。

マイ箸やマイコップの使用はSDGsの12番目の「つくる責任　つかう責任」でカバーされていますし、洗面台でのこまめな節水はSDGsの6番目「安全な水とトイレを世界中に」に、出かける際の消灯や省エネはSDGsの7番目の「エネルギーをみんなに　そしてクリーンに」に該当します。

できるだけ地産地消を心がけ、自宅からなるべく近い土地で生産された農産物を購入することも、二酸化炭素の排出削減に役立ちます。

一般的には、SDGsの番号が若いほうがより基本的な、日常生活で実践しやすい目標だと言われており、SDGsの16番目や17番目のように、後ろの項目になるほど人々をもっと平和的に共生させ、世界中の力を団結させるためのメカニズムの構築を議論するものになっています。この二つはそもそも抽象的な目標と言えるでしょう。

どんな概念を用いるにせよ最初にはっきりさせておきたいのは、「世界中の誰も貧困や飢餓に陥ることのない状態」を実現するという目標はすでにSDGsに包括されているので、SDGsに取り組む前に飢餓や貧困を解決しておく必要はないという点です。

SDGsのはじめのいくつかの目標は、まさに貧困や飢餓の撲滅がテーマになっているからです。

つまり、SDGsは前から順番に進めてゆく概念なのです。

注1　儒家と墨家の思想の違い

儒家とは、中国の諸子百家の一つで、孔子を祖とする学派。春秋時代末期の孔子の教え「儒学」または「儒教」を奉じる。

墨子とは、中国戦国時代に活動した諸子百家の一人で、墨家の開祖、およびその著書の名前。一種の平和主義・博愛主義を説いた。

注2 **華夷思想**

中国の華夷観とは、天下の中心は中華の地であり、その東西南北の周囲には東夷《とうい》、西戎《せいじゅう》、南蛮、北狄《ほくてき》という四つの野蛮な夷狄《いてき》がいるというもの。

6 最初にはっきりさせておきたいのは**「世界中の誰もが貧困や飢餓に陥いることのない状態」を実現するという目標はすでにSDGsに包括されている**ので、先に貧困や飢餓を解決してからＳＤＧｓに取り組む必要はないという点です。

7 **持続可能な開発目標は、前から順番に進めてゆく概念**なのです。

1 企業はSDGsを使って企業活動を行う場合、ちょっと公益性の高いことをしてお茶を濁すのではなく、**利益の追求という行為自体によって環境にプラスの影響を与えられる**のです。

2 **17個の目標は一歩一歩階段を上っていくようなもの**で、2030年にみんなで達成することが最も重要な目標だと私は考えています。

3 私の目から見ると、すべての人はもともと一つで**智慧はいたるところに転がっている**のです。

4 墨家の思想では、私たちが学ぶ技術や発明品、科学の原理はどの場所でも同じだと考えられています。この**「どこでも同じ」という概念によって、文化の違う人をオープン・イノベーションに参加させることができる**のです。

5 愛は、あなたと私が先に社会的関係を結んでいるから生まれるのではなく、**私たちが同じ自然の摂理のもとで生きているから、そこに愛が生まれる**のです。

KEYWORD 06

集合知

問題を受け入れる

ＡＩ（人工知能）とＣＩ（集合知）を結びつけて活用する

ＡＩ（人工知能）はここ数年のトレンドワードだ。ＡＩが生活や仕事に無限の想像力をもたらしてくれる一方で、仕事を奪われるのではないか、プライバシーが侵害されるのではないか、社会に構造的な問題が生じるのではないかとおびえる人も多い。

だが、**オードリーは「ＡＩ時代が到来しても恐れる必要はない、ロボットはクリエイティブな仕事を担うことができないため、むしろ人が仕事を選べるようになる」と考えている。**公共の価値と公共の利益の重視に基づき、彼女はＣＩ（Collective Intelligence, 集合知）をＡＩと結びつければ、労働者はＡＩの力を借りて仕事の質を向上させることができると主張しているのだ。

「『人工知能』が生まれる前は『集合知』に依存していましたし、冗談で『労働者知能』なんて言っていた人もいましたよね」とオードリーは笑う。

集合知とは何か？　簡単な例を挙げよう。例えば教師が生徒に課題を出す際、「まずは君たち同士で添削し、間違いをチェックし合って内容を理解しなさい。そのあとにグループリーダーが確認してから提出しなさい」と指示したとする。確認作業を生徒同士で行うと、生徒はほかの人の考えをより深く理解できるうえ、グループリーダーは最終的に教師に課題を提出する前に、共通認識をまとめる役割を担うことができる。

つまり、手間のかかることを一つのグループに任せると、やり終えるまでの間にすべてのメンバーが学び、貢献し合い、さらに達成感を味わうこともできるのだ。このプロセスは参加者全員が完成予想図を構成するパズルの1ピースとなって、成果物の完成度をより高めるために邁進《まいしん》する一連の作業だ。こうすることで個人が成長を遂げると同時に、未来も「増幅《エンパワー》」されてゆく。

ウィキペディアは世界規模で知性を集合させた代表的な例だろう。台湾でいうと、民間のシビックテックコミュニティg0v（ガブゼロ、台湾零時政府）が設立・運営する法令討議プラットフォームvTaiwanから、公的部門である行政院のJoin（公共政策インターネット参加型プラットフォーム）までのすべてが集合知の結晶と言える。

そしてオードリーの執務室が置かれている「パブリック・デジタル・イノベーション・スペース（PDIS）」は、情報の透明化や、市民の意見の聞き取りとそのシェアを実践するためのスペースとして、集合知の価値を十分に示している。

ゼロサムを手放して融合を取り入れる

オードリーがＰＤＩＳを組織した意義をどのように理解すればよいだろうか。長い間オープンソースの世界に浸っていた彼女がインターネット上で協働し、シェアもしているシステム思考の運用方法と、公共政策を推進するＰＤＩＳの仕組みが瓜二つである点は非常に興味深い。

ＰＤＩＳには、行政院の各省庁から出向してきた人もいれば、民間の専門家もいるほか、公共政策の最適化に参加している実習生（大半は大学生）もいる。

政策やプロジェクトはどれも一つの作品のようなものだ。異なる専門分野の人たちが、自分の強みを生かして協力することによって柔軟性に富んだ一つの有機体へと「成長」してゆく姿は、レゴを組み立てるうちに作品ができあがってゆくさまを彷彿《ほうふつ》とさせる。

ＰＤＩＳの公開記録を見ると、協力会議や政策改善プロジェクト、そしてオードリーがメディアや企業から取材を受けたときの内容や動画がすべて公開されている。人々がこれらを使って共同イノベーションや共創にも使用できるようになっているのだ。

時間の制約を打ち破ると、かえって誰かと一緒に仕事をしているという思いが強まるが、その気持ちは「共に問題を解決する」という共通の目標によって結びついている。**「学習と創造の両立」**と**「利己的行為と利他的行為の両立」**は、**「すべてのことがらは、融合できる」**というオードリーの概念によって実現可能なブレークスルーとなるだろう。

集合知の持つ大きな可能性

この本のために行っているインタビューも、集合知の表れの一つです。私は著作権を放棄していますから、インタビューが終わるとその内容はインターネットでシェアされ、それを引用に使おうが、二次創作しようが、何かと組み合わせて使おうが、私に許可を求める必要はありません。

誰かがYouTubeで私の動画を見て、そこから数分間、あるいは数秒間をピックアップして自分のアイデアを表現したら、それがまた将来のリソースに変わります。

今、私たちが知識の扉を開け放ったことで、今後たくさんの人がパズルをはめ込むように知識を組み合わせたり入れ替えたりできるようになります。これが集合知です。

集合知は「集思《ジースー》（衆知を収集する）」と「広益《グワンイー》（有益な意見を幅広く吸収する）」という二つの部分に分けられます。

集思とは、一つのことがらに対する感じ方や気づきは人によって違うため、もしそれらを結びつけず、各自の意見をバラバラなままにして、コミュニケーションも取らず対話もしなかったとしたら、公共の利益は実現できないことを指しています。

広益とは、あることがらにもともと何の関心もなかった人、あるいはそれを知らなかった人に、それに対する興味を持たせることができたら、その人はあっという間に文脈をつかみ、理解するので、それ以降あなたはもう自分一人ですべての検証作業を行わなくてよいということです。

世界中のすべての構造的問題が今どうなっているのかを一人で把握することはできませんから、その知識にアクセスできないでいる人が、できるだけ負担のない形で参加できるように状況を整える必要があります。私が昔、インターネットでコミュニティに参加して、無料で多くの知識を得ることができたように。

私にとって思想とは、誰か一人だけで創造されるものではなく集合知の結晶であり、みんなのアイデアを凝縮したものを指しています。

現代のホモ・サピエンスはお互いが高度につながった集合体ですから、私は孤独を感じたりしません。また、私の関心事が人から見向きもされなくても、インターネットにアクセスするだけで豊富なデータを収集できます。それらはみんながシェアしている集合知から生まれているのです。

例えば「中国哲学書電子化計画」(https://ctext.org/zh) というウェブサイトは、文化交流を促進し、異文化圏の人に東洋哲学の思想を紹介するためのものです。

「集思広益」を行うインターネット世代

行政院の青年諮詢《しじゅん》委員会は以前から、35歳以下の若者を大臣のリバースメンター（上司や先輩が若者を指導するメンター制度の逆で、若者が上司や先輩社員・職員に対し技術や考え方などを助言する仕組み）に任命しています。

私は33～34歳のときに行政院のこの執務室で、当時の政務委員ジャクリーン・ツァイ（蔡玉玲）のリバースメンターを務めていました。

全世界がインターネットでつながれた世界に生まれ育った世代は、何かアイデアを思いついたらすぐに「集思広益《ジースーグワンイー》（多くの人の意見や知恵を広範囲に集める）」するという習慣を早くから身につけています。こうした政治組織的・社会組織的手法を（世界で）最初に習得したのはこの世代の若者ですから、現在直面している構造的な問題の解決方法を彼らに考えてもらうのは、よいやり方だと思います。

例えば十二年国民基本教育課程綱要では、高等職業学校が以前よりも重視されています。昔のように、いわゆる普通の高校に行けなかったから仕方なく職業学校に進学するというのではなく、中学生の段階で、その分野に対する子どもの興味を引き出すことを目的としています。

以前はほとんどの人が、職業高校に進学する子は学力が低いと考えたり「ただ読書のみが尊く、それ以外は皆卑しい」という儒教思想に追従したりしていましたが、今そのような考え方に疑問が突き付けられています。**最終的な目的は、誰もが学びを継続し、生涯学習の道を歩んでいけるよう導くことです。**

新課程綱要の、子どもの学習に対する視野を広げる「適性揚才《シーシンヤンツァイ》（子どもたちが自分の好きな分野において自分に合った方法で学習し、才能を伸ばす）」という概念を通じて子どもたちを力づければ、私たちの理想とする新たな未来を早く実現させることができます。この概念には地域格差も存在しません。

もちろん私は、魔法の杖《つえ》を一振りすれば親の頭の中がガラッと変わると言っているわけではありません。どんな変化も時間がかかるのです。

集合知へ参加し、集合知を形成することがひいては台湾の教育理念である「自発性・相互作用・協働」につながります。その主な目的は、分野横断型で、お互いを理解して共同作業が可能な、能力の高い協働環境を構築することです。**そうすることで最終的に、一人だけ秀でた個人がいるチームを作るのではなく、チーム全体に競争力が備わるのです。**世代の違いは関係ありません。誰かに興味を抱かせるだけで、興味を抱いたその人は、この情報作業に自然に溶け込んで参加するようになるのです。

現代の起業はメイド・イン・ザ・ワールド

では、インターネットを使って知識を学び、理解を深めるにはどうすればよいでしょう。**学びのきっかけは未知への好奇心と探求心です。そこから「集思広益」がゆっくりと始まります。**

これに対し、集合知が花開くきっかけを作るのがイノベーションです。例えば新型コロナウイルス感染症が広まり始めたころのマスク不足の時期に、台湾では電鍋（台湾の電気炊飯器）がマスクの消毒に使われるようになりました。本来のの用途からは外れていますが、電鍋をマスク消毒に活用する――これが集合知による「イノベーション」です。

最も重要なのは、すべての人が自分もジグソーパズルの1ピースなのだと思えることですが、それには時間がかかります。

当然ながら、私が高いところから一声かければ、一瞬でみんなが洗脳されるということではありません。これはネットユーザーが作った噂にすぎず、私が本当に脳波で人をコントロールできるわけではないんですよ。

台湾は小さいという人もいますが、私は台湾の強みは社会部門の団結力と集合知にあると思っています。例えば起業ですが、環境問題や経済問題、あるいは社会問題の解決を目的として起業する場合、台湾ではスタートアップ企業が実情を確認しながら企業戦略を臨機応変に方向転換しています。この場合、ほとんどコストをかけずに新しい方法を試行錯誤し続けられることが非常に重要だと私は考えています。もちろん時間というコストはかかります。しかしそのような文化がなかったら一回の起業でその人は破産してしまい、イノベーションも起こらないでしょう。

台湾で起業したらずっと台湾に居続けるべきだとか、台湾で上場すべきだとは思いませんし、台湾を主な市場にしなければならないとも、台湾のユニコーン企業を目指すべきだとも思いません。そんな視野の狭い考え方を私は持っていません。台湾でよいアイデアを思いついた人が新天地で大いに輝くのも、とてもすばらしいことだと思います。

あるいは、どこか別の場所で何かひらめいたけれども、そのアイデアを生かせるのは台湾しかないと分かり、会社ごと台湾にごっそり連れ戻したとしたら、人材を循環させることになるのでやはり非常にすばらしいことです。**現代の起業はメイド・イン・ザ・ワールド、全世界が一緒に行う創作活動なのです。**

タピオカミルクティーはオープン・イノベーションの象徴

パブリックドメイン（著作権により保護されていた著作物や発明が、著作権の保護期間を経過して社会の公共財産になり、誰でも自由に利用できるようになったもの）における集団創作を説明する際は、タピオカミルクティーを例に挙げると非常に分かりやすいでしょう。

世界のどこでも、タピオカミルクティーの話をしてオープン・イノベーションを説明すれば、すぐに理解してもらえます。タピオカミルクティーには複数の起源とたくさんの創作理論が絡んでいるため、誰も特許や商標権を主張できないという特徴があるからです。

タピオカ粉でできた黒や白の粒はすべてタピオカとみなされます。南アフリカのルイボスティーだろうが緑茶だろうが、どんなお茶でもベースとして使うことができますし、それに豆乳やオーツミルクを組み合わせても構いません。ですから「タピオカ・ミルク・お茶」は、現地の事情に合わせて好きなように入れ替えることができるのです。

販売するのは特定の製品でもサービスでもなく「食材の組み合わせ」という概念ですから、何をどう組み合わせても誰かに訴えられることはありません。例えばタピオカをピザの上に散らしたとしましょう。誰かに訴えられることなどなく、ただそっぽを向かれて終わりです。まさにメイド・イン・ザ・ワールドなのです。

ちなみに、このタピオカミルクティーは、「ミルクティー同盟」、すなわち「ミルクティーを飲む文化のある香港、台湾、タイ、ミャンマーで行われている民主化連帯運動」の名称にも使われています。

どこでも誰でもこの「タピオカミルクティー」の概念を使って、何かをミックスして自分の好きなことを表現できます。これこそが「集合知」です。はるか遠いエチオピアでもタピオカミルクティーは知られていますし、飲んだことがある人もいます。**私たち一人一人が「集合知」というジグソーパズルの1ピースなのです。**

新型コロナウイルス感染症拡大中には、カラーマスクの一件でも「集合知」による創造性が示されました。

以前はマスクの色といえば白か緑か青だったため、ある男の子がピンク色のマスクを着けたら学校で笑われてしまうと苦情を言ったのです。その翌日に中央感染症指揮センターの指揮官がそろってピンクのマスクを着用しました。その結果、ピンクのマスクをかっこいいと思って着ける人が増え、多くのブランドもあとを追って生産を始めましたし、マスクの供給が安定してからは、さまざまな色のマスクが続々と発売されました。

どうすれば人々に負担をかけずに、勇気を出して社会参加してもらうことができるでしょうか。私は寛容性（inclusive populism，包摂的ポピュリズム）をベースにしてやり方を定義しています。

例えば公共政策インターネット参加型プラットフォームJoinはまさに集合知を利用したシステムです。このシステムは匿名参加できますし、選挙権や市民権がなくても、スマートフォンの番号さえあれば、誰でもJoinで創造的なアイデアを提案できるのです。5000人以上の支持を集めれば、どんな提案でも政府の関連部門が検討して、書面で回答します。

Joinにおいては、まだ選挙権もない15歳だけれど家族のために何かしたいとか、弱者を救済したいといった目的を持った提案者もいるかもしれません。

しかし私たちがそうした事情を知るのはいつもすべてが終わってからです。私たちは提案そのものを見て議論し、相手が何歳だろうと立法委員と同等とみなしています。なぜならその人の主張は5000人の支持を取り付けているからです。

市民の定義を「スマートフォンの番号がある人」まで広げ、それ以外は年齢も台湾国籍すらも求めず、5000人の支持さえ得られれば、集合知にじっくりと耳を傾け、しっかりと回答する。私にとっての寛容性とは、このような概念を指すのです。

7 どこでも誰でもこの「タピオカミルクティー」の概念を使って、**何かをミックスして自分の好きなことを表現できます。**これこそが「集合知」です。

8 私たち**一人一人が「集合知」というジグソーパズルの1ピース**なのです。

9 人々に負担をかけずに、勇気を出して社会参加してもらうために、私は**寛容性**（inclusive populism, **包摂的ポピュリズム**）**をベースにしてやり方を定義しています。**

1 今、私たちが知識の扉を開け放ったことで、今後**たくさんの人がパズルをはめ込むように知識を組み合わせたり入れ替えたりできる**ようになります。これが集合知です。

2 私にとって思想とは、誰か一人だけで創造されるものではなく**集合知の結晶であり、みんなのアイデアを凝縮したもの**を指しています。

3 最終的な目的は、**誰もが学びを継続し、生涯学習の道を歩んでいけるよう導く**ことです。

4 最終的に、一人だけ秀でた個人がいるチームを作るのではなく、**チーム全体に競争力が備わる**のです。

5 **学びのきっかけは未知への好奇心と探求心**です。そこからゆっくりと「集思広益」が始まります。

6 現代の**起業はメイド・イン・ザ・ワールド、全世界が一緒に行う創作活動**なのです。

KEYWORD 07

不完全主義

問題を受け入れる

「私にとって、180は身長です」

「天才」と呼ばれたい、そう呼ばれる栄誉を手にしたいと望む人は多い。一方で、幼少時から現在に至るまで「IQ180の天才」という言葉は、ラベルのようにオードリーに貼り付けられ、影のようにつきまとっていた。彼女の業績や行動がしばしば、人々の想像を越えていたからだ。

だが本人はいつも「180は私の身長です」と一笑に付す。彼女にとって意義あることとは、食欲が満たされること、十分な水分が摂れること、そしてぐっすり眠れることだ。普段よく食べるものを聞かれたら、たいていの人は具体的なメニューを挙げるが、彼女は「炭水化物とタンパク質と脂質」と答える。食べ物の本質に立ち返った言葉を聞くと、思わず頬がゆるむ。

古今東西、「天才」との呼び声が高い人は枚挙にいとまがないが、オードリー自身は自分のことを天才哲学者ヴィトゲンシュタインの信徒だと公言している。日常生活でも学びの場においても、ヴィトゲンシュタインは絶えず深い内省を行っていた。彼はたった二冊しか著作を残さなかったが、『論理哲学論考』はウィーン学派の経典となり、『哲学探究』

は日常言語学派の起源となった。

オードリーは12歳のとき、夢中になっていたコンピューターに関する知識をより深めるためにヴィトゲンシュタインの哲学に触れ、深い感銘を受けた。そこで大学まで出向いて講義を聴講し、思索を繰り返して、ある理解を得た。

「言葉にできないことは黙っておくべきだ」。これはヴィトゲンシュタインが人々に指し示した方向性だが、言葉が届かないところでは、ある種の詩的なモデルを通じてしか世界と向き合うことはできないとオードリーは考えている。

誰もがお互いを補い合って進む社会

スクリーンの向こう側のオードリーを眺めていると、神話に登場する神のように万能な人間に思えることがある。だが、取材が進むうち、彼女自身は、「天才」という言葉を形容詞のようなものだと鷹揚《おうよう》にとらえていることが分かった。

オードリーは言う。**「自分は不完全な存在ですから、すべての人の側に立ってそれぞれの話を聴くことを抜きにしては、人々の共通認識が結晶に変わることはないのです」**。

彼女は自分が世界を見るときと同じ態度で、自分の主張を述べている。「閉門造車《ビーメンザオチャー》（門を閉じて車を作る）」は台湾人が日常的に使うことわざで、「自分の主観的なやり方を維持しながらものごとを進める」という意味だが、オードリーの口から頻繁に飛び出すのは「開門造車《カイメンザオチャー》、你行你来《ニーシンニーライ》（門を開けて車を作りますよ。自分もできるという人は、どうぞここでやってください）」だ。

人は誰でも唯一無二の存在であり、ものごとに対する理解や解釈も人の数だけ存在するため、すべての人が天才だとも言える。そしてそんな人々がインターネットや公共プラットフォームでつながれば、「最善ではないかもしれないが、より優れていることは間違いない」という共通認識も得ることができる。つまり、不完全さをみんなで補い合えるようになる。

その視点から見ると、オードリーが重視する「不完全さ」は、私たちが追い求めている「完璧」が成就したものだとは言えないだろうか。

客観的に鑑賞する

「完美《ワンメイ》（完璧な、非の打ちどころがない）」という言葉は形容詞ですが、私に言わせれば、そういったものはすべて人々のフィクション（創作）です。

例えば『西遊記』の三蔵法師は、実際の玄奘《げんじょう》とはあまり関係ないでしょう。登場人物もストーリーも史実に基づいているのはほんのわずかで、ほとんどは作者とされる呉承恩の創作です。

人は私のことを天才だと言いますが、それもいわゆる創作にすぎません。私にとってはその言葉に大した意義はなく、ただ鑑賞するような気持ちでそうした創作物を眺めています。具体的には芸術活動や創作活動を見て楽しんでいるような感じです。

私は天才と呼ばれても気にならないのではなく、それを客観的に鑑賞するようにしています。子どものころ、全成長過程が人目にさらされるのは果たしていいことなのだろうかと感じていました。ですが時がたつうち、見られることに慣れてしまいました！

もちろん気にはなるのですが、スタンスが変わったのです。以前は、これは事実だ、あれはフィクションだといちいち区別して反応していました。そもそも普通の人は、大衆メディアによって報じられたときに常にそうした視点でいるのでしょう。今では、私に関する報道でフィクションの部分があっても、それはそれとして客観的に鑑賞するというスタンスをとっています。

天才と凡人は違うという話も創作の一つです。まるで、この世界は炎のようにまばゆい善の神と、闇をつかさどる悪の神に分けられるという話をニーチェが創作して『ツァラトゥストラはこう語った』という本まで執筆したように。

どのフィクションにもストーリーがあり、面白いとは思います。だからといって、私がそのストーリーに同意しているわけではありません。

私にとって「平凡」とは、「和光同塵《わこうどうじん》（本来持っている自分の才能や徳を隠して、俗世に溶け込むこと）」ことを指しています。自分の力を誇示せず、自然の成り行きに任せるのも悪くないと思います。

「天才」ではなく「思想の運び手」でありたい

私が「天才」という言葉をどのようにとらえているかお伝えしましょう。

ただ、生まれつきの才能にすぎないという、非常に単純な言葉だと思っています。成人の場合、知能検査の上限は160で、それより上だと「＊」印が一つ付いて「測定不能」と表示されますから、IQ180になることはありえません。

実際、「IQ180」はよく使われる形容詞で、頭のいい人の話をする際にちょくちょく、「あの人はIQ180だ」のように使われます。ちなみに、私の場合、身長がちょうど180センチですから、私にとっては「180」は身長なのです。

私がよく引き合いに出すのが、レナード・コーエン（カナダのシンガーソングライター・詩人）の作った歌詞にある「裂け目は光の入り口」という概念です。**これは、ある瞬間にどれだけ完璧かという話ではなく、すべては常に変化しているため、今は完璧に見えていたとしても次の瞬間もそうだとは限らないという意味です。**

大事なのは、変化の中で光をよりはっきりと取り込むことができるなら透明性はもっと高くなるという点です。

もし透明でなければ、ものごとの本来の姿を反映できなくなるため、問題の解決を望む人のことも彼らの新たなコンセプトも広めることができなくなります。

もし私によいアイデアがあっても、それを十分に広められなければ、私が頼れるのは自分の知性や才能だけになってしまうでしょう。でも、それでは何の問題も解決できないのです。

同じ理由で私は日頃から、自分は思想の運び手にすぎないと話しています。ある思想が私のところまで伝わってきた時点で、私はその思想の基本感染者数（信奉者）を増やしたことにはなるでしょう。ですが、それが自分自身の考えだとは思えませんし、実際に、それは、私がどこか別のところから感じ取ったアイデアなのです。

ですから、私が完璧かどうかなんて何の意味もない話です。天才という言葉は、私に対する他人の見方を示すラベルの一つであり、他人の創作物なのです。

私が意義を感じているのはやはり、自分自身に重要な思想を乗せられるかどうか、そしてそれができるのであれば、速やかにその思想を増幅《エンパワー》して次のテーマに関心を寄せられるかどうかです。

門を開けて車を作るから、皆さんにも参加してほしい

変わらない人間はいないし、同じ日は二度と来ないのですから、何がなんでも完璧な状態を実現しなければと考える必要はありません。

私は、相手が私の不完全な部分を指摘してくれたら、その不完全な部分が完璧な状態に向かうように手を取り合って協力し、互いに責任を負えばいいと考えています。

台湾で新型コロナの感染症対策が始まったばかりのころにマスクマップ計画が立ち上がりました。薬局は市民、特に高齢者がマスクを買うため長時間並ばなくて済むように番号札を配っていましたが、それと実際に健康保険カードを使って購入された枚数が食い違っていたためにマスクマップに実際と異なる枚数が表示され、混乱が生じたのです。

薬剤師から連絡を受けた私は、翌週にはプログラムを修正すると約束し、薬局の営業時間と市民のマスク受け取り時間が別の欄に表示されるようにしました。さらに一部の薬剤師から、番号札を発行してキーを押したら、その枚数がすぐにマスクマップの枚数から引かれるようにしてほしいとの要望も出たため、その機能も追加しました。

これをお話ししたのは、本当に私が天才だったら、起こりうるすべての状況が瞬時にひらめいたはずだとお伝えしたかったからです。ところが現実は、問題が発生し、薬剤師の時間を無駄にしてから、ようやく革新的な方法を見つけ出してシステムに反映させ、その後に共創（コ・クリエーション）が起こりました。

市民の視点に立った場合、薬剤師には自分の顧客やコミュニティにおいて、どうすればマスクの着用と手洗いを行う人の数を最大まで増やせるかについて、独自の意見や方法があるはずです。ですから、私たちはその人を管理《コントロール》するのではなく、彼らのできることを増幅《エンパワー》させたいと思っています。

つまり私は、「門を開けて車を作るので、自分にはそれができると思ったら皆さんに参加してほしい」のです。そのために、最初に共通の価値観、いわゆる核心部分を確立し、それからみんなの力を結集して共創します。私は不完全な存在ですからすべての人の側に立ちますし、誰かがもっとよい意見を出してくれたらその人を擁護し、サポートします。

このとき、「オードリーはなぜ立場を変えたんだ?」と眉をひそめる人もいるかもしれません。ですが、私は立場を変えたのではなく、その人の意見のほうがもっと優れていると判断したのです。

それぞれの人の側に立つ

人の立場に立って考える場合、一回に一人の側しか選択できません。その場合、誰の側を選びますか？　それとも、火星や国際宇宙ステーションからの視点に立って考えますか？

実際のところ一般的な審議式討論においては、議長は頭の中に20人の視点を取り入れるだけで精一杯でしょう。ですから、例えば会議室に20人の参加者がいるなら、常にその中の特定の一人（議長）の視点から、残りの19人の様子を眺められるようになっている必要があります。しかし人数がもっと増えたら、参加者を複数のグループに分けなければならないでしょう。

もちろん、頭の中でそれぞれの人の側を選びながら、同時にすべての人の事情を考慮するのは簡単ではありません。

国際政治の場でも、自分がルールメーカーになりたいと誰もが思っています。そのため本当にすべての人の側に立ちたいなら、それぞれの側の歴史的文脈と文化を、そして今日の国際舞台における彼らの主張がどうやって導き出されたのかを先に理解しておかねばなりません。この場合、彼らの歴史や一般知識を理解するために、時間をかけて準備する必要があります。

また、公共の利益を損なったり、反社会的行為によって社会を分裂させたりせずに、**公共の利益と利他的行為を促進して、当事者同士の支え合いをさらに強めるためには、やはり多少なりともそれぞれの側と何らかの調停(mediation)を行う必要もあります。そうすることでようやく、共通認識がゆっくりと蓄積されてゆくのです。**

それを簡単に言うと、**つまり「你行你来」なのです。あなたが喜んでここに来てくれるなら、私はあなたの側に立ちますし、私が自分本位になることはありません。あなたのアイデアややり方のほうが優れているなら、私はあなたを擁護し、サポートし、あなたに力を貸してくれる人を探します。**

私は新たに参加してくれる人たちに次のように伝えたいのです。「あなたの側から出されたアイデアは私の立場からの意見でもあり、私があなたのアイデアをないがしろにすることはありません」と。

その過程で対立が生じることもあるでしょう。そんなときの私の解決方法は、「眠ること」です。解決したいことを頭の中に放り込んで8時間ぐっすり寝ると、目覚めたときには共通の価値観が浮かび上がっています。

もし対立がいくつも起きていていつもより多く残業した日だったならたっぷり9時間は寝ることにしています。私の場合、心の中で判断することはしません。頭の中にその7～8人の当事者の対立構造が入っていて、彼らが対立していることを理解はしていますが、その中から誰か一人の当事者（立場）を選んで肩入れすることはありません。こうした姿勢を守らなければ、すべての人の側に立つことはできないからです。

この感覚を保ちながら目を閉じるとすぐに眠りに落ちます。そして目覚めたときには新たな見方が生まれているのです。

未来は、あなたがいるからやってくる

思考する際、私は未来まで含めて考えることにしています。つまり、誰もが持っている長所・すばらしさを尊重し発揮できる空間を確保して、未来に向けてそれを伸ばしていこ

うという考え方です。

未来の世界では私はすでにこの世から「ログアウト」（死去）しているでしょうが、私たちは少なくとも次の二つのことを信じる必要があります。

一つは、「文明は次世代に引き継がれるものだから、旧世代の素材（コンテンツ）が次世代に多少なりとも役立つかもしれない。そうでなければどのみち役に立たないのだから、今何かを創造する必要もない」ということ。

二つ目は、「次世代にあらかじめ知らせておかなくても、彼らは自分の手で、そのときどきの状況に応じて先人が残した素材（コンテンツ）を使って自分の積極性や自発性を表現するだろう」です。この二つは最も基本的な仮説です。


私が最も好きな映画『メッセージ（原題：Arrival）』（注1）には、「この旅路で何が起きるのか、そしてどこに向かっているのか分かっていても、私はそれを抱きしめるだろう。そして人生のありとあらゆる瞬間を喜んで受け入れるだろう」という台詞《せりふ》があります。

この言葉は、私は今、これを言おうとしていることを（今この瞬間が到来するずっと前から）知っていたけれども、やはり全力でそれを話すという意味で使われています。一部の言葉は単なる意思疎通の道具としてではなく行為遂行的（注2）に使われるのです。

言葉によって相手の心を動かし、そして何らかの効果を生み出すことは行為遂行的部分で、この映画で最も重要かつ核心的な考え方だと思います。

この映画『メッセージ』の中で宇宙人は、ことの顚末《てんまつ》を知っているものの、やはりその未来を自分を通して到来させ、それが一つの行為遂行的な行動になりました。

「未来は私たちを通じて到来する」という概念が、ここでうまく表現されていると思います。未来を偽装（camouflage）しているのではなく、見せて（show）いるのです。

この「見せる」というプロセスは、たくさんの後進がアプローチしたいと思っているものでもあります。あなたはそのプロセスを理性では定義できないでしょうが、自分の周りで準備を整えていれば、あなたという主体が未来の到来を感じ取ることができるのです。

あなたはどんな状態が「未来が到来した」状態なのかを言葉で説明することはできないでしょう。ですが、自分の環境を未来の到来にふさわしい状態に変化させることはできるのです。未来は私たちを通じて到来するのです。

注1 **映画『メッセージ（原題：Arrival）』**

2016年公開のアメリカのSF映画。中国系アメリカ人のテッド・チャンの短編小説『あなたの人生の物語』をドゥニ・ヴィルヌーヴ監督が映画化した。

注2 **行為遂行的**

ある文を発話したこと自体がある行為の実現となるもの。例えば、「約束する」と発話したこと自体が「約束する」行為となる。

く、共通認識がゆっくりと蓄積されてゆくのです。

6 つまり「你行你来」なのです。あなたが喜んでここに来てくれるなら、私はあなたの側に立ちますし、私が自分本位になることはありません。**あなたのアイデアややり方のほうが優れているなら、私はあなたを擁護し、サポートし、あなたに力を貸してくれる人を探します。**

7 対立が生じることもあるでしょう。そんなときの私の解決方法は、「眠ること」です。**解決したいことを頭の中に放り込んで8時間ぐっすり寝ると、目覚めたときには共通の価値観が浮かび上がっています。**

8 あなたはどんな状態が「未来が到来した」状態なのかを言葉で説明することはできないでしょう。ですが、**自分の環境を未来の到来にふさわしい状態に変化させることはできる**のです。未来は私たちを通じて到来するのです。

1 人は私のことを天才だと言いますが、私にとってはその言葉に大した意義はなく、単にそれを鑑賞するような気持ちで、そうした創作物を眺めています。具体的には**芸術活動や創作活動を見て楽しんでいるような感じ**です。

2 すべては常に変化しているため、**今は完璧に見えていたとしても、次の瞬間もそうだとは限りません**。大事なのは、**変化の中で光をよりはっきりと取り込むことができるなら透明性はもっと高くなる**という点です。

3 私は、相手が私の不完全な部分を指摘してくれたら、その不完全な部分が**完璧な状態に向かうように手を取り合って協力し、互いに責任を負えばいい**と考えています。

4 私は、「門を開けて車を作るので、自分にはそれができると思ったら皆さんに参加してほしい」のです。そのために、**最初に共通の価値観、いわゆる核心部分を確立し、それからみんなの力を結集して共創します。**

5 公共の利益と利他的行為を促進して、**当事者同士の支え合いをさらに強めるためには、それぞれの側と何らかの調停を行う必要もあります**。そうすることでようや

STEP

3

問題に対処する

KEYWORD 08／透明性
KEYWORD 09／ソーシャル・イノベーション
KEYWORD 10／市民協力
KEYWORD 11／熟読

KEYWORD 08

透明性

透明性がもたらした変革

「透明性」という入場券は変化の扉を開いただけでなく、「参加者」を「貢献者」に変えることも容易にした。透明性がなければ市民参加は起きないし、市民参加の目的は十分な対話を実現することだ。そして対話がなければ人々が同じロジックと文脈で思考し、そこにあるノイズを解消して共に変化を促進してゆくことはできないのだ。

今や「唐鳳《とうほう》」であふれた世間を眺める当の本人は、著作権や肖像権、知的財産権を放棄した理由を次のように語った。

「『透明』と『公開』をベースにすることによって、より多くの人からの理解を得て、その参加を促してイノベーションの花火と変革をみんなで創り上げていきたいと思ったからです」

そのあとオードリーは、「まるでどこにいても何をしていても、顔を上げれば『唐鳳』がいる感じがします」と冗談めかして付け加えた。

ちなみにあらゆる取材はインターネットで公開されており、ＰＤＩＳのウェブサイトからデータを無料で入手できる。このようにして、彼女は「透明性」を実践しているのだ。

コロナ禍における情報公開と透明性

コロナ禍において、情報の公開と透明性が重視された理由は、正確な情報を広く伝える必要があったからだ。感染拡大が危ぶまれていた当初、政府は速やかに「健康保険特約機構マスク余剰枚数明細リスト」と「健康保険特約院所固定サービス期間」のデータを政府の公開データプラットフォームに集約して、民間利用に提供した。

さらに、民間コミュニティと提携して情報の公開と協働を実践し、「マスク需要・供給情報プラットフォーム」を設置してマスクの入手情報を検索できるようにし、パニックを迅速かつ最小限に食い止めることに成功した。これはオードリーが常に保っていた情報の透明性の有益さを示す、分かりやすい例でもある。

また、彼女がほかのプログラマーが開発したマスク在庫照会システムを採用したことは、日本からも大いに注目され、日本のネットユーザーからは「神対応」と賞賛された。マスクの生産状況や枚数、生産量から購入場所まですべて公開すると、透明性の高さが安心感を生み、パニックを鎮めることもできた。また、防疫中に流れてくる不確かな噂《うわさ》の一掃にも一役買った。もちろん、健康保険システムを使った市民の外出履歴の追跡については、個人のプライバシーが政府に監視されるのではと憂慮する声も挙がった。

だが全国民保険システムの用途が公共サービスに限定されていたことが、この防疫戦への全民参加を促進し、**オードリーの提唱するキーワードである3F、すなわち「Fast（素早く）」「Fair（公平に）」「Fun（楽しく）」を際立たせることにもなった。**しかしながら実際のところ、この三つの共存はたやすくはない。

オードリーはワシントンDCのシンクタンク・全米アジア研究所が開催した「防疫戦で台湾と中国が使用した生物学的検出法の比較検討会」にビデオ参加した際に、台湾の「民主（主権在民）」は発展中であり、民主と科学技術は助け合い、補完する関係にあると述べた。

さらに、「民主」の実現に国民参加を促す最適な方法の一つは、政府が透明性を高めて説明責任を果たすことだと語り、**国民が政府に対し透明性を示すのではなく、政府が国民に向けて情報を透明化すべきだと指摘している。**

情報の透明性という概念が広まることで自由が表現され、政府と国民の間にあった境界線を消すことができるのだ。

私の名前は、自由に使ってください

私の名前「唐鳳」は、以前から無償提供しています。つまり、肖像権も著作権も放棄しているので、誰がどのように使ってもよいのです。その結果、今ではたくさんの人が私の名前「唐鳳」を動詞や形容詞として使っています。

例えば、誰かが「私の投稿が『唐鳳』されちゃった（私の投稿が政府から監視されてしまった）」と言うこともよくあります。ほかにも実際に、「唐鳳」がいろいろな意味に応用されたり、客家委員会が「唐鳳過台湾（客家の伝統歌曲「唐山過台湾」をもじったもの）」というキャッチコピーを作ったりしていますから、まるでいつでもどこでも「唐鳳」に出会う印象を受けます。

もちろん、「唐鳳」の二文字は何かを描写するために使われているにすぎず、私はこの名前がどう使われようが構いません。**私はこの名前の所有者ではなく、現在の使用者にすぎませんから、将来の使用者にあれこれ言う権利は私にはありません。**

ですから今後これを使いたいという人が出てきたら嬉しく思います。私は自分の名前に何の執着もないのです。

入閣前に何度か雑誌の取材を受けたとき、私は自分でカメラを持って、インタビューを受けながら撮影もしました。そして今と同じように、少なくとも私が登場する部分については著作権を放棄していました。

当時のインタビュアーはおそらくやりにくかったでしょう。「インタビューの一切合切を公開したら、記事なんて誰も読まないだろう」と。ですがほとんどの場合、最終的には私たちの思いが形になりました。もちろん、そのときの対話の公開も双方の同意のうえで行われました。

肖像権や著作権の放棄は社会への恩返し

私にこうした考え方が芽生えたのは、英文の古典文学を真剣に読み始めた1994年から1995年ごろでした。私が読んだ書籍の多くは最も知られたナレッジベースであるプロジェクト・グーテンベルク（注1）に収載されており、多くは著作権が切れたパブリックドメインの作品です。ですからそれらを翻訳してもいいし、いろいろな形式へと自由に変換しても構いません。誰でもそこから学べるのです。

プロジェクト・グーテンベルクがなかったら、古典文学を読む基礎力は身につかなかったでしょう。当時の私の英文読解速度は、速くもなければ優れてもいなかったからです。プロジェクト・グーテンベルクのおかげで、私は自分のペースで、完全に無料でハイレベルな知識に触れることができましたし、学校へ行かなくても自分の研究プロジェクトを全うできたのです。

ウェブサイト arXiv《アーカイヴ》（注2）の使用も同様でしょう。arXiv は物理学、数学、統計学その他の最先端のナレッジベースであり、誰かが投稿した論文を自由にダウンロードできるサイトです。

「飲水思源《いんすいしげん》（受けた恩は忘れてはならない）」という言葉がありますが、**私が知識を吸収する習慣は、著作権や財産権が放棄された環境によって養われたものです。ですから私は、誰かから受けた恩をほかの誰かに返しているというわけです。**

インターネットで培われた無償提供やシェアという世界観

インターネットにはもともと、ある世界観があって、それは私の世界観でもあります。

Internet が単なる Net ではなく Internet と呼ばれる理由は、インターネットプロトコルを通じて情報交換が行われるからです。それができなかったら、私たちは地域ごとに断片化されたネットワークしか持てなかったでしょうし、全世界をカバーする本当の意味でのインターネットは生まれなかったでしょう。

inter とは、「網際《ワンジー》（インターネット）」の「際《ジー》（相互に）」の部分を指します。これをリアルな世界に当てはめると、inter は「人際《レンジー》（人間同士の）」、つまり人と人との関係、いわゆる間主観性を指しています。

私の仕事のほとんどは、この中の inter の部分を強化することです。主観性（subjectivity）の強化はすでにたくさんの人が行っていますから、私は inter の部分を強化するために、多文化、分野横断、世代横断などの活動で発揮する対話力にエネルギーを費やしています。

1993年、中学生だった私は既存の教育を受けるのをやめ、学校を自主退学しましたが、それがオープンソースに触れる出発点にもなりました。同じ年ごろの子どもが学校で勉強に励む中、私はインターネットの世界を満喫していました。システム開発は、私の心の中にあったパンドラの箱を開けました。その後はインターネット・アーキテクチャに関与し、今のように政務に追われるようになっても、まだ関わり続けています。

現在、ハッカー文化は隆盛を誇っていますが、１９９０年代の初めには早くもそのひな形が存在しており、フリーソフトウェアの公開も行われていました。そのころの私は、プログラミング言語やＡＩ、インターネットといった目新しいおもちゃに興味津々でした。プログラマーたちは全員オンラインで作業し、そこで使用されているツールの多くは誰でも使用できるよう無償で公開されていて、誰も「自分さえよければいい」なんて思っていないことを知りました。そこでは作品のシェアが自然に行われていたからです。

ですから、私にとって無償提供やシェアとはライフスタイルのようなものです。作品は公開されることでより多くの人に届くと考えていますし、オープンソースモデルはリレー方式での作業に意欲がある人なら継続的に行うことができ、一生関わることができるものだとも思っています。

私の考えは今でもまったく変わっていませんが、以前と違うのは、インターネットが普及したことで、自分もやってみたいという人が増え、シェアがより簡単になったことです。

政府の情報公開が市民参加を促す

政府協働会議の運営にあたり、私たちは毎月2回の協働会議を開催しています。提案が寄せられるプラットフォームは二つあって、その一つがJoin（公共政策インターネット参加型プラットフォーム）です。

提案事項がある人なら誰でも5000人を超える署名を集めれば、オープンガバメント担当者と共にその議題を協働会議にかけるかどうかを議論できます。その主な目的は、利害関係者の声やニーズをできるだけ多く聞き取り、透明性を確保することによって人々と政府機関との対話を促進し、相互信頼関係を構築することです。

私の友人が設立したインターネットプラットフォーム「零時政府《ガブゼロ》（g0v）」は、「政府を透明化し、市民を主役に」をスローガンに掲げ、政府の情報が不透明できちんと公開されていないという過去の印象を払拭しようとしました。

当時、この活動に影響された多くの若者が共同で、市民の政治参加をサポートするためのソフトウェアを数多く作成したのです。2014年のひまわり学生運動では、私も独立メディアの一人としてこれに関わっていました。

この年には同僚が同じような方法を使ってオープンガバメント活動の運営方法をレク

チャーし始めており、2015年にはトレーニングを受けた公務員の数が1000人を超えました。そして2016年に私が入閣すると、オープンガバメント関連の業務は自然と私が担当することになりました。林全《リンチェン》行政院長（当時）が私を指名した理由は、私に「デジタル経済」と「オープンガバメント」政策の調和とすり合わせをさせたいと思ったからです。

透明性の高い「オープンガバメント」はまさに、蔡英文《ツァイインウェン》総統のチームが政権を握る前から強調していたことですから、私たちの理念はお互いに一致していました。

私は台湾の政務システムに「リアルとバーチャルの融合」という概念を取り入れる必要があると考えています。官僚システムも人間によって構成されていますから、リアルとバーチャルを融合させれば、人々は機械的な有用性ではなくお互いの状態を感じることができるからです。

オープンガバメントの最初の仕事は、情報とデータの公開、つまり透明性の確保です。そしてそれらを公開したら私たちは、その内容に対する意見を人々に尋ねます。これは市民参加の部分です。

私たちは、彼らが最終的にどのような結論に達したかを報告する必要がありますが、その報告は各自がそれぞれの職責に応じて行います。

オープンソースと四つの交換モデル

「四つ目の交換モデル」もオープンソースの世界に宿っている精神です。今日のようにIT化が十分に進んだ世界にいる私たちは、すでに欠乏型、分配型、官僚型といった交換モデルの継続が難しい時代に突入しています。

これが、オープンソースがこの世界に必要だと私が考える理由です。**オープンソースコミュニティは「不特定の人に向けたシェア」から始まり、「人々の貢献を結集する」過程を経て、持続可能でシェアが可能な、リレー方式による創造性が生み出されるという、一つの模範を示しているからです。**

従来の定義によると、交換やマーケティング慣行には次の三つがあることがよく知られています。

- **家庭のような組織内の集団で、無償で行われる交換**
- **政府や会社のような階層型組織の上下関係で行われる交換**
- **自分とお金の所有者との間で、有償で行われる交換**

一つ目は、家庭のような組織内の集団（In-group）で無償で行われる交換です。例えば私たちは一つの家庭や一つの「コミュニティ」に所属しており、その中はさらに内集団（In-group）と外集団（Out-group）に分かれています。家族や内集団を構成するメンバーは、メンバー同士でシェアし、交換活動を行いますが、自分と同族ではない「外部の人」とリソースの共有や何かのシェアをすることはありません。従って変化は内部でしか起こりません。

二つ目のモデルは、政府や会社など階層型組織の上下関係で行われる交換です。例えば、部下は直属の上司だけに報告し、その上司が自分のボスに報告し、それから改めてリソースの分配が上から下に向かって行われます。この種の交換モデルの典型が官僚型モデルで、変化は簡単には起こりません。

三つ目は、自分とお金の所有者との間で有償で行われる交換です。私たちはお金を払ってくれる人にサービスや品物を提供し、それからそのお金を使ってまた誰かと何かを交換したり、私たちにものを売ってくれる人と交換を行ったりします。これは基本的には、はるか昔に行われていた物々交換ではなく、金銭を介した交換モデルを指しています。

以上の三つが、世界で行われている主な交換モデルです。

ですが、マーケターとしてオープンソースコードに関わると、**四つ目の交換モデルを学ぶことができます。つまり、自由に、目的を問わず、世界中のあらゆる人との交換を実現できるモデルです。**

これは非常に革命的な考え方です。なぜなら私は、あなたが私と同じグループに所属していなくても、台湾人でなくても気にしないからです。そして社長や管理職かどうか、金持ちかどうかも頓着せず、あなたに自分のサービスを提供したいと思えば気前よく差し出すからです。

そして私たちはすでに、この方法は先に述べた三つの従来型交換モデルよりも、もっと効果的に、短時間でより多くの人とのコンタクトが可能になることを証明しています。この交換モデルが21世紀の趨勢《すうせい》になるでしょう。

テクノロジーが身近になったことでコミュニケーションコスト（意思疎通を図って認識を一致させるために費やされる時間やお金のこと）が下がりました。

台湾のオープンソース開発の過去と現在の間に存在するギャップも、それに伴って急速に埋まりつつあります。

以前にオープンソースに関与していたのは主にソフトウェア関係者でしたが、自作文化が花開くにつれ、今では言葉（ウィキペディアなど）、ハードウェア（Arduino や Thingiverse など）、音楽（SoundCloud など）、映像（YouTube や Flickr など）、デザイン（Behance など）、教育（Khan Academy やオープンコースウェア（ＯＣＷ）など）、政治（g0v など）といった、テクノロジー分野の以外の人材も文化の公開に関わり始めており、その範囲も広がり続けています。

オープンソースコミュニティに参加するには

オープンソースの世界に関わる人が以前よりも増えたことで、システムの中で頻繁に往来する知識の透明性がさらに高まったと言えるでしょう。

そのため、参加者には言語によるコミュニケーション能力や論理的思考力が求められていますが、そのほかは好奇心を持ち続けていれば大丈夫です。**オープンソースコミュニティに参加したいという人には、「何かをやり遂げたいなら、まずは着手してみましょう。本当にやりたいのなら、全世界から助っ人が現れますよ」と提案したいと思います。**

ですが、あなたのファイルをインターネット上でみんなに編集してもらうといっても、他の人にそんな資格があるのでしょうか。そして彼らは本当に、他人の意図をうまく編集に反映できるのでしょうか。

これはオープンソースに最初から存在する最大の難点です。この質問にうまく答えられなければ、実際に全インターネット交流圏を巻き込んで人々の参加も促すことができる方法は考案できないでしょう。これも透明性を構築するための前提条件です。

しかし私は社会とは、独立性と自主性、そして非常に豊かな多様性が存在する生態系のようなものであり、一つの論述でものごとが決まることはないと信じています。

ですから新しい何かが起きても、私たちが偏った方向に流されることはないと思っています。生物多様性に富んだ社会が、一種類のウイルスによって崩壊することはないのと同じです。ですから私たちは、スローガンではなく事実に即して行動するのみです。事実すら確認できないのであれば、解決策を練ることなどできないからです。

中央感染症指揮センターの専用回線「1922」は、私たち（政府）が一番よく分かっているから民衆は何も知る必要がないと考えるのではなく、むしろ政府は収入や性別、年齢、民族、地位、心身の障碍《しょうがい》の有無、居住地によって人を区別してはならないし、人々はすべての関連情報を入手できなければならないというコンセプトによって設置されました。

その情報には各薬局にマスクが何枚あるか、あるいは自分の前に並んでいる人が何枚のマスクを手に入れて、あと何枚残るだろうといったことも含まれます。なぜならこれが「信頼性の高いデータの利用可能性」が確保された状態だからです。ですから信頼性だけでなく利用可能性も必要です。この二つの重要度は同レベルです。

私はいつも「裂け目は光の入り口だ」と話しています。あらゆることは刻一刻と変化しているので、今は完璧に見えていても次の段階でもそうだとは限りません。**大事なのは現時点での完璧さの度合いではなく、刻一刻と変化するプロセスの中で光をはっきりと取り込むことができれば、透明性が高まるという点です。**もし透明でないならば、ものごとの真の姿がゆがむことになるでしょう。

注1　プロジェクト・グーテンベルク
著者の死後一定期間が経過し、（アメリカ著作権法下で）著作権の切れた名作などの全

文を電子化して、インターネット上で公開するという計画のもとに1971年に創始された電子図書館。

注2 **arXiv（アーカイヴ）**

物理学、数学、計算機科学、定量生物学、計量ファイナンス、統計学の、プレプリントを含むさまざまな論文が保存・公開されているウェブサイト。論文のアップロード（投稿）、ダウンロード（閲覧）ともに無料。1991年創始。

6 何かをやり遂げたいなら、まずは着手してみましょう。**本当にやりたいのなら、全世界から助っ人が現れます**よ。

7 私は**社会とは、独立性と自主性、そして非常に豊かな多様性が存在する生態系のようなもの**であり、一つの論述でものごとが決まることはないと信じています。

8 刻一刻と変化するプロセスの中で**光をはっきりと取り込むことができれば、透明性は高まる**のです。

1 私は**この名前の所有者ではなく、現在の使用者にすぎません**から、将来の使用者にあれこれ言う権利は私にはありません。

2 私が知識を吸収する習慣は、著作権や財産権が放棄された環境によって養われたものです。ですから私は、**誰かから受けた恩をほかの誰かに返している**というわけです。

3 私にとって**無償提供やシェアとはライフスタイルのようなもの**です。作品は公開されることでより多くの人に届くと考えていますし、オープンソースモデルはリレー方式での作業に意欲がある人なら継続的に行うことができ、一生関わることができるものだとも思っています。

4 オープンソースコミュニティは「不特定の人に向けたシェア」から始まり、「人々の貢献を結集する」過程を経て、**持続可能でシェアが可能な、リレー方式による創造性が生み出される**という、一つの模範を示しています。

5 四つ目の交換モデルとは、**自由に、目的を問わず、世界中のあらゆる人との交換を実現できるもの**です。この交換モデルが21世紀の趨勢になるでしょう。

KEYWORD 09

ソーシャル・イノベーション

問題に対処する

みんなのことにみんなが協力する社会の実現

就任時の公約である「意思疎通」を実践するため、ソーシャル・イノベーション実験ラボはオードリーが市民や事業者の話を聞くための場所になっている。彼女はそこで「各当事者の側に立ち」ながら、さまざまな背景を持ってここに来た人たちと顔を突き合わせて問題を解決したいと考えているのだ。

だがこの場所は、オードリーが推進するソーシャル・イノベーションの縮図の一つにすぎない。ビデオ会議や各地で開催される講演会、さまざまなディスカッションを通じて行われるすべてが、彼女によるソーシャル・イノベーションの定義「みんなのことにみんなが協力する」を具現化する手段になっている。この考え方はオードリーが主張する透明性・傾聴・シェアという価値観と血統を同じくしている。

オードリーに言わせると、ソーシャル・イノベーションの推進には、各省庁間のスムーズな連携が欠かせない。その実現は「公僕の公僕」になることを望んで入閣した彼女が抱いていた初心でもある。

だが政府がソーシャル・イノベーションを推進する際、政府自身の役割は、支援はするが干渉しないという立場を取ることだ。

政府は開始から終わりまでの一切を民間組織や公共事務の実施団体に委ねる必要がある。市民たちの力に頼らなければ、問題の本質的な解決は望めないからだ。目的意識を持った変革を体系的に実現することが、ソーシャル・イノベーションとビジネス・イノベーションの最大の違いだ。

だが、これほど多くの役割をソーシャル・イノベーションに担わせる必要が本当にあるのだろうか。この問いに対するオードリーの回答は多角的だった。

「SDGsの17個の目標の中だけでも、解決が求められている問題はたくさんあります。教育や人権、気候変動などはどれもそうです。

皆さんもよくご存じのバタフライ効果（注1）と同じく、優れたアイデアや行動は、拡散して世界に影響を与える可能性があります。ノーベル平和賞を受賞したムハマド・ユヌス氏が創設したマイクロクレジットによるグラミン銀行（注2）はその好例です。

自分の力を過小評価しないでください。『誰でも編集できるフリー百科事典《ウィキペディア》』は市井の人々がインターネットで生み出した傑作ですよね。**イノベーションはいまだ道半ばなのです**」。

公的部門にいるときの「唐鳳《とうほう》」も、インターネットの世界にいる「Audrey Tang」も、ソーシャル・イノベーションという名の道を切り開くときの原動力は、「恩返し」の気持ちなのだろう。

アイデア一つで誰もが参加できるソーシャル・イノベーション

私はソーシャル・イノベーションを「みんなのことにみんなが協力する」と定義しています。

「みんなのこと」とは、公共の利益が存在するものを指し、「みんなが協力する」とは誰でもそれに参加できるという意味です。

みんなが集まってよいアイデアが生まれたら、今度はその新しいアイデアを社会に広め、ひいては公共の利益を創造することができます。これはソーシャル・イノベーションによる一つの問題解決方法です。もし特定の事業体や会社の利益しか生まないのであれば、一般的には産業（ビジネス）イノベーションと呼ばれます。これが両者の違いです。

ソーシャル・イノベーションの特徴の一つは、誰もが自分の視点からアイデアを提供できるという点です。

いろいろな視点から生まれたアイデアが提起されると、それらは個人のアイデアにはならずに個人の行動を通じて、他の人のアイデアの中に入り込み、今度はその人がそれを応用して外に広めてゆきます。これを拡張可能性（extensible）といいます。

台湾と日本には地震という共通体験があります。大災害のあとは、誰もが元の生活を取り戻す方法を必死になって考えます。それは両国の全国民が実感していることです。

簡単にいうと、日本にせよ台湾にせよ、私たちはみな同舟共済、同舟一命なのです。つまり、みんなが一つの船に乗り、一致協力して困難に立ち向かい、みんなが運命と利害を共にする状態に置かれています。

結局のところ国内の資源は限られていますから、資源の浪費や環境汚染を放置していたら、どうなるでしょう。ひとたび外部からダメージがもたらされると、私たちのような島国に住む人間が感じ取るものは、広大な大陸に住む人々とはまったく異なるのです。

もっと深いレベルで言えば、私たちが環境を破壊するとき、お互いの信頼感をも同時に破壊しているのです。

ハッシュタグの無限の広がりが世界をつなぐ

あるキーワードを思いついた人がキーワードの前に「#《ハッシュタグ》」をつけるようになったのも、ソーシャル・イノベーションのもう一つの例と言えるでしょう。

これは2007年にクリス・メッシーナ（Google と Uber の元開発者）が初めて提唱したものですが、このときにビジネス・イノベーションは起こりませんでした。当時のツイッター社も含め、どのプラットフォームもこんな機能は提供していなかったからです。

ですが彼は、大規模な活動が立ち上がった際に、参加者がその件についてツイッターや他のソーシャルメディアに投稿するときは、みんなそろって冒頭部分にハッシュタグをつけたらどうかと考えていました。こうすると、全文検索したときに一つのチャットルーム内でチャットするのと同じ状況を作れるため、情報の拡散に非常に役立つのです。

ハッシュタグが現在の形まで進化した結果、社会にこのような共通認識が定着したので、インスタグラムなどの他のソーシャルメディアもこの機能を追加せずにはいられなくなりました。

このハッシュタグもソーシャル・イノベーションの一つです。メッシーナが特許を申請しなかったので、ハッシュタグは誰でも使えるだけでなく、彼の本来のアイデアとは違う使い方がされるようにもなりました。

その後、アイス・バケツ・チャレンジ（注3）のようなさまざまな活用法が派生し、台湾では何かを質問するときによく使われています。ハッシュタグの使われ方は今や、本来の意図から完全に外れています。

この概念こそが拡張可能性であり、拡散性です。イノベーションの特徴は、誰でも元の意義に別の意義を乗せられることにあります。

新しい意義が加わったあと、誰かが別の意義を創り出し、またそれが使用される。そうやって拡張可能性や拡散性がさらに高まり、ますます強くなるからです（ちなみに私が最も頻繁に使っているハッシュタグは「#TaiwanCanHelp」（台湾は手助けできる）です）。

社会を動かすソーシャル・イノベーション

もう一つのソーシャル・イノベーションの例は、感染拡大中に起きた「ピンクのマスク事件」です。

（「集合知」の項でも例に挙げましたが）みんながマスクを着け始めたころ、ある男の子が感染症予防ホットラインに「ピンクのマスクを持っているけど使いたくない。先生や友達から笑われるから」と電話をかけてきました。

しかしその翌日、中央感染症指揮センターの陳時中《チェンシージョン》指揮官とそのチームがそろってピンクのマスクを着けたことで、その子はあっという間にイケてる男の子になったうえ、数々のブランドからピンク色のグッズが続々と発売されました。その後、レインボーカラーのマスクにも人気が出て、さまざまな色のマスクを着けるのがはやりました。

公衆衛生の従事者は、どうすれば国民の3／4以上がマスクを着用し、手洗いを励行するようになるだろうかと知恵を絞っていました。彼らはこれを実現するソーシャル・イノベーションを必要としていたのです。

トップダウンで強制的に何かをさせるのではなく、私がレインボーカラーやピンクのマスクを着けているのを見た人が素敵だなと思って真似《まね》をしたら、これも公共の利益の実現と言えるでしょう。

しかもこうした方法だと誰でも自分の思いつく限りのやり方で参加できますし、ピンクでなくいろいろな柄に変えてもいいわけです。マスクに拡散性が備わったことは間違いなくソーシャル・イノベーションですし、デジタル技術とはまったく関係ありません。

また、陳時中指揮官の感染対策に対する満足度は、世論調査で最高94%に達しましたが、残りの6%の人は不満を感じていました。しかしこの6%はとても重要です。彼らは、政府は(感染対策についての)説明責任があると意思表示してくれるだけではありません。**不満を感じる6%の人々こそが、多くのイノベーションの源なのです。私たちと一緒にもっと優れた方法を考えてくれるのは、彼らのような人たちだからです。**

ソーシャル・イノベーションと社会的企業(ソーシャル・ビジネス)

ソーシャル・イノベーション巡回会議や政府連携会議を行う中で、ソーシャル・イノベーションの各種課題はすぐには解決できないだろうということも分かりました。そのため、まずは組織改革が前提となっているということを、各当事者や各種意見に関する議論や理解を通じて、皆さんに知ってもらうというのが現在の考え方です。

具体的な環境問題や社会問題があり、明確な使命も存在する場合は、ソーシャル・イノベーションは企業と結びつきます。

つまり企業側に少なくとも販売できるサービスや製品があり、それとは別に社会問題を具体的に解決したことのあるつながりがある場合、その間を結びつけるのが私たちのいうソーシャル・イノベーションです。

現在、「ソーシャル・イノベーション」の定義は以前よりも広がっています。以前はどちらかというと企業寄りの形態でしたが、今は形態横断型になっており、会社やNPO、協同組合という形態にする必要はありません。私たちは社会問題や環境問題の解決方法を、現時点ですべて国連の持続可能な開発目標（SDGs）に基づいて分類しているのです。

なお、ソーシャル・イノベーション・アクションプランでは、明確な定量化（ものごとを数値や数量で表すことができる要素）と定性化（ものごとを数値化できない要素）が必要です。

アクションプランは時間をかけ、ローリング方式で調整する

ソーシャル・イノベーション・アクションプランを立てるとき、私たちは「あの事業を推進しなさい」とトップダウンで命じるのではなく、丸々一年をかけて巡回フォーラムを継続的に開催し、各当事者が実際に何をやってほしいと思っているのかを聞き取っていま

す。

私たちは巡回フォーラムの対象を、非営利団体や従来型の営利企業、社団法人といった形式の社会的企業だけに限定していません。

範囲を限定することはロープをねじることに似ています。つまり、ロープを両端から真ん中に向かってぎりぎりまでねじっていくと（ロープが縮まって最後にはコブができ、このコブの部分まで）範囲が制限されてしまいますから。

現在は各機関や組織にいる各人と、社会環境に関連するすべての問題にソーシャル・イノベーションのスポットライトが当たっているとみなされています。

ただし行動が生まれるのは、巡回フォーラムを通じて皆さんが何を必要としているかを聞き取って、それを問題解決用のプロジェクトライブラリに加えることに丸一年を費やしてからなのです。

例えば、国家発展委員会からどんな法律を制定する必要があるかと問われたとします。私は、政府にどんな法律を制定してほしいかを答えるのではなく、中小企業に関連する新たな条例やその要点、あるいはそれらを適用するにあたり遭遇する困難について、みんなで議論して回答するでしょう。

私の仕事は国家発展委員会が法律を相次いで制定するのを支援したり、彼らの求めに応じたりすることではありません。
それぞれの障壁を取り払って、社会問題の解決を望む人たちがみんなの問題を解決するときにそれをサポートすることです。

ソーシャル・イノベーション・アクションプランとは発展を阻害するものでもなければ簡単に成功するものでもなく、議論から行動までローリング方式（その都度修正し、柔軟に対応しながら計画と現実のズレを防ぐ方式）で調整していくものなのです。

注1　バタフライ効果
非常に些細なことがさまざまな要因を引き起こし、だんだんと大きな現象へと変化することを指す言葉。

注2　グラミン銀行
バングラデシュにある銀行でマイクロファイナンス機関。1983年にムハマド・ユヌスが創始した。マイクロクレジットと呼ばれる貧困層を対象にした比較的低金利の無担保融資を主に農村部で行っている。

注3 **アイス・バケツ・チャレンジ**

筋萎縮性側索硬化症（ＡＬＳ）の啓蒙とその研究を支援するため、バケツに入った氷水を頭からかぶるか、寄付をする運動。

6 **不満を感じる6%の人々こそが、多くのイノベーションの源**なのです。私たちと共にもっと優れた方法を考えてくれるのは、彼らのような人たちだからです。

7 ソーシャル・イノベーション・アクションプランとは、議論から行動まで**ローリング方式（その都度修正し、柔軟に対応しながら計画と現実のズレを防ぐ方式）で調整していく**ものなのです。

1 私は**ソーシャル・イノベーションを「みんなのことにみんなが協力する」と定義しています**。「みんなのこと」とは、公共の利益が存在するものを指し、「みんなが協力する」とは誰でもそれに参加できるという意味です。

2 みんなが集まってよいアイデアが生まれたら、今度はその**新しいアイデアを社会に広め、ひいては公共の利益を創造する**ことができます。これはソーシャル・イノベーションによる一つの問題解決方法です。

3 ソーシャル・イノベーションの特徴の一つは、**誰もが自分の視点からアイデアを提供できる**という点です。

4 私たちは環境を破壊したとき、同時に社会に流れている**お互いの信頼感をも破壊している**のです。

5 **イノベーションの特徴は、誰でも元の意義に別な意義を乗せられること**にあります。新しい意義が加わったあと、誰かが別の意義を創り出し、またそれが使用される。そうやって拡張可能性や拡散性がさらに高まり、ますます強くなるのです。

KEYWORD 10

市民協力

問題に対処する

デジタル時代に求められる身分証とは

いつものように藍染めのジャケットと白のシャツ、黒のパンツに身を包んだオードリーは、執務室からゆったりと姿を現すとデジタル身分証について話し始めた。

台湾で使われている身分証は「六代カード」とも呼ばれている。カードの表には所有者の個人情報、裏側には両親や配偶者の氏名や住所を含む、家族の情報が記載されている。この身分証は家族単位で国から発行され、結婚した場合も家族単位で考える。プライバシーは考慮されていないが、これまではこの方法が一般的に受け入れられていた。だが2008年に結婚が儀式制から登記制に変わると、プライバシーの概念が個人主体に変化した。例えばホテルのチェックインで身分証を提示したとき、裏面から両親や配偶者の名前までも知られてしまうといった懸念から、身分証の様式変更を求める人が出始めた。特に同性婚が合法化してからは、配偶者の名前から個人の性的指向が露呈する可能性が生じたという事情もある。

個人情報の漏洩《ろうえい》問題のほかにも、偽造防止技術に関する問題を解決する必要もあった。内政部はパスポート規格に準じて新たな身分証を構想した。表面には所有者の氏名、生年月日、身分証番号だけが記載され、裏面には配偶者の有無の記入欄はあるものの、その他は省略されている。チップは読み取りだけが可能でデータの上書きはできず、新たな機能の追加もできない。その必要性が生じた場合は手数料徴収のうえ再発行となり、基本的にはパスポートと同じだ。

人を先進技術に合わせるのではなく、先進技術を人に合わせる

オードリーは市民の不安をよく分かっている。自分の目で確認できないことや、その場で検証できないことに不安を抱くのは人の当然の心理だ。チップにほかの情報が本当に入っていなかったとしても、すごい技術が出てきて個人情報が漏れたりハッキングされたりするんじゃないかと考える人もいるだろう。

オードリーの88歳の祖母と77歳の隣人は、キャッシュカードもATMも使ったことがなく、預金通帳を使って現金の預け払いをしている。一連のプロセスが自分の目の前で行われるから安心なのだ。公共政策を推進する際、高齢者にとっては安心感が重要なのだという点を、オードリーは深く理解している。

「人を先進技術に合わせるのではなく、先進技術のほうを人に合わせるのです」。

彼女はそう断言し、議論の全プロセスが「市民協力」を示す好例だと考えている。2020年中に議論が進んでデジタル身分証の将来的な導入の可能性が開けたのは、2017年と2018年に市民との間で多くの議論が行われ、その経験が蓄積されていたからだ。

政策の推進にあたり自分が最も頻繁に使う言葉は「部門を超えた協働（cross-departmental collaboration）」だが、もしそれが官民連携を指すのなら「ピープル・パブリック・プライベート・パートナーシップ」という言葉を使うとオードリーは言う。

「まずは社会部門、統治部門、経済部門のパートナーシップです。そして順番が重要です。ピープルが最初にきて、パブリック、プライベートと続き、それからようやくパートナーシップです」と彼女は強調している。

簡単に言うと、社会部門がテーマと価値観の設定を行い、統治部門が調和と一貫性を保証し、経済部門が主に推進と拡散性の向上を担当する。

オードリーから市民協力の話を聞いたときに最も印象に残ったのが、祖母が安心して使用できるようにしたいと語った部分だった。市民協力の重要な価値観は、まさにそこに存在するのではないだろうか。

市民協力の新たな形態とは

台湾には長い間、厳戒令が敷かれた時期がありましたが、私たちはその間いつも民間の力に頼り、儲蓄互助社（クレジットユニオン）であれ経済協力という形態であれ、それでラストワンマイル（「顧客にモノ・サービスが到達する最後の接点」）を補ってきました。

コロナ禍で各国が政府統治を再考している今、**市民協力と対話の新たな形が求められています。それは「人々が自主的に参加し、政府がいつでも対応する」というスタイルです。**

台湾では、ソーシャルワーカー制度をはじめとする各種制度が整備される前、ほとんどの社会部門が民間の力に頼っていました。

ですから私は、台湾の社会部門は非常に高い正当性を備えており、国の仕事は社会部門が何の妨げも法的規制も受けずに運営できるようにすることだと考えています。本当のラストワンマイルはやはり、社会部門の重要な役割に支えられているのです。

市民協力はコロナ禍における救済・経済振興策でも湧き起こりました。当時の議論の多くは現金給付をベースにしており、台湾では「先進国の日本でも現金を給付している。なぜ台湾はやらないのか」といった声が多く聞かれました。

ですが現金給付はしないという判断は簡単でしたし、それが正しかったことはあとからも実証されました。現金給付は国民の預金を増やす一方で、消費活動は減らしてしまうのです。

給付金が銀行口座に直接入金されたときに、何かを買う必要に迫られていなければ、じゃあそのままにしておこうという話になります。ですから最小抵抗経路（現状と目標とする未来の間に存在するギャップを、抵抗を最小限に抑えながら埋めることのできる経路）から考えた場合、口座に入ったままにしておくほうが簡単で、使うほうが逆に難しいのです。

したがって現金給付にも限定的な救済効果はあるでしょうが、真の経済振興効果は得られません。

私たちは皆さんに外に出て、小売店や飲食店を営む人たちに、「この数か月大変だったでしょう、皆さんを支援しに来ましたよ」と伝えてほしかったのです。

この点を考慮すると現金給付にはできないうえ、ネット販売ではなく対面でのカード決済やモバイル決済、振興三倍券（注1）の使用といった方法を採用する必要があります。

つまり人々が実際に外に出てお店で三倍券を使うことによって、人との交流の温かみを感じられるようにしたかったのです。

コロナ禍で台湾の飲食店が過去最高売り上げを果たした理由

2020年9月に小売業界と飲食業界の売り上げが1999年以来過去最高を記録したことで、この方法の有用性が証明されました。政府が2000元を負担し、市民が1000元を自己負担する振興三倍券に続き、四倍券や五倍券を打ち出す企業も現れ、一つのトレンドに変わりました。これは市民協力による成果です。単なる政府の政策にはとどまらなかったのです。

当時、市民からも多くの提案が寄せられました。3000元使うと2000元がキャッシュバックされる仕組みになっていますが、「その2000元はどこかの団体に寄付したい。寄付金コードは作れないのか」との声があがりました。というのは、私が外国人労働者教育文化協会に寄付したときもそうでしたが、以前の寄付金コードではレシートしか寄付できなかった（注2）からです。

また、あるドイツ人ジャーナリストの取材を受けた際、話のついでに「外国人労働者は三倍券を購入できないのですが、解決できませんか?」と聞かれました。

私はしばらく考えて、これらを考慮したプログラムを書くことにしました。実際のところ、こうした革新的方法は私が優れているのではなく、人々の声によって生まれたものです。私の仕事は彼らの話をさえぎらず、しっかりと聞き取って政策に転換することです。

こうしたアイデアがすぐに実現したことで、人々がより積極的にデジタル三倍券を使うようになりました。デジタル三倍券は一人平均5000元以上使用されており、効果的な経済振興策と言えるでしょう。

個人の思いを未来の人に見せ、未来を増幅(エンパワー)する

誰かが「私は既存の、凝り固まった社会の枠組みによる制約を受け入れる必要はないのです」と発言したとしましょう。そう意思表示をするだけで、その人は同じように感じているほかの人々に対して社会貢献をしている。私はそう考えています。

私の言う社会貢献や社会参加の定義は広いのですが、社会参加とは観光バスを貸し切り

にして何かの集会に参加しなければならないという意味ではありません。

私の言う社会参加は、個人の思いを未来の人が見つけられる場所に置いておくという意味です。それが必ずしも未来と同期していなくても構いませんし、ほかの人に強制したりされたりすることでもありません。これも一種の社会貢献です。

今日のあなたの社会参加が誰かの目に留まったら、あるいは未来の人が知ったら、あなたとその人の行動も一種の社会貢献なのです。

私の「門を開けて車を作る」話はいつも誰かの目に留まっていますが、人によっては不都合な部分があるかもしれません。

ですから重要なことはやはり、自分にとって絶対的に不利な要素があるときに、その人が不安を十分に手放すことができ、「これは自分の考えとは違うかもしれません」と安心して口に出せるかどうかです。それで十分なのです。

私たちの仕事は、誰もが喜んで議論に参加し、安全な状況で問題提起や議題設定をして、彼らが自分に有利な部分と不利な部分を話し、それから普及や拡散ができる空間を作ることです。私たちの世代で広く普及・拡散して多くの人に伝えれば、それはやがて次世代に影響を与えるでしょう。

ただしこれらをコントロールし、実行する権限を私が持っているわけではありません。ひとえに、皆さんの力にかかっています。それが市民協力であり、人々が未来を増幅《エンパワー》することでもあります。

「増幅」の概念と裏表の関係にあるものは何でしょうか。「増幅」という概念をどんなときに活用するのかを考えてみてください。

例えば、誰かに眼鏡を勧めたらもっとはっきり見えるようになったとか、補聴器を使ったら、よく聞こえるようになったというような視力や聴力が増幅した例にも使えるでしょう。いずれも人に手を差し伸べること、手助けすることに使われています。

人と人との間の相互作用と協働に力を注ぎたい——これはエンパワーでしょう。一方、あるグループの人々はAIで別のグループの人々を奴隷化する——これはディスエンパワーです。前者がエンパワー（増幅）、後者がディスエンパワー（無力化）で、両者は真逆のものです。

人々が自主的に参加し、政府がいつでも対応する社会

市民協力においては、常に明確な完成予想図を描いておく必要があります。

私はよく「素早く（Fast）・公平に（Fair）・楽しく（Fun）」という「三つのF」を重視していますが、都市計画でも誰かからの問題提起においても、この三つに当てはまるかどうかをチェックしています。

また私は行政院で、「皆さんの時間を節約する、リスクを減らす、公的部門と民間の間の相互信頼感を高める」という三つの目標を持って働いています。ただし、このどれか一つを実現するためにほかの二つを犠牲にすることはできません。

この三つの目標にせよ、前述の三つのFにせよ、シンプルな概念を持っていれば、「これらの基準を外れたら完成予想図全体がダメになるだろう」と頭の中で検証することができるのです。

つまり、あなたはあなたというピースの形をはっきりさせておく必要があるのです。そうすれば、どこにピースをはめ込みたいのかがほかの人にもすぐに分かり、その人があなたのアイデアにその人というピースを組み合わせることができます。

もし、それができていなかったら、私はこの形を広げたい、いややっぱり削りたいという話になり、「削足適履《シュエズーシーリュー》（足を削って靴に合わせる）」の状態になってしまいます。ですから、あなたがピースをどんな形にしたいのかが非常に重要です。もしお互いのやり方では完成予想図が破綻すると分かったら、二人でパズルをすべきでないでしょう。そうすれば時間も無駄になりません。**今、チェンジマネジメント（注3）の必要性が叫ばれていますが、重要なのは変化する時代における価値観の核となるものをはっきりさせることなのです。**

市民協力も、透明性と市民参加が支え合うことで構築されるものです。透明性がなければ人々の真の意味での参加は望めません。ピースの境目があいまいなのにピースをはめ込むことはできないでしょう？　しかし逆に言えば、人々が社会参加しないなら、透明性を確保しても何の意味もないのです。

透明性が適用されるのが一部の専門分野だった場合、人々は本質的な理解が得られないため、透明性は形骸化してしまいます。積極的で実質的な市民参加が伴わない透明性は何の役にも立ちません。

また、この市民参加が密室で行われた場合、「我々の目指すものとはまったく違う目標が議論されているじゃないか」と市民は気づくでしょう。この場合も何の意義もありません。

世界各国が政府統治について再考している今、「民衆が自主的に参加し、政府がいつでも対応する」スタイルは、21世紀における市民協力と対話の新たな姿としての模範を示すものと考えています。

注1 **振興三倍券**

国民1人当たり1000台湾元（日本円で約3600円）を自己負担することで、その三倍となる3000台湾元（約1万円）の消費ができる。中華民国（台湾）国籍を持つ国民と、在留資格（居留証）を持つ外国籍配偶者及び中国籍配偶者であれば1人1セット受け取れる。使用期間は2020年7月15日から12月31日まで。紙の「振興三倍券」のほか、デジタルの振興三倍券（モバイル決済、交通系ICカード、クレジットカード決済）の4種類から選べる。

注2 **レシートしか寄付できなかった**

台湾のすべてのレシートには宝くじ番号がついており、2か月に一回抽選が行われる。最高当選金額は1000万元（約4000万円）。

注3 **チェンジマネジメント**

変革を成功させるためのマネジメント手法で、変化を嫌う人や現状維持指向の人でも変革の波に乗れるよう後押しすることができる。

6 市民協力においては、**常に明確な完成予想図を描いておく**必要があります。シンプルな概念を持っていれば、「これらの基準を外れたら完成予想図全体がダメになるだろう」と頭の中で検証することができるのです。

7 あなたは**あなたというピースの形をはっきりさせておく**必要があるのです。

8 重要なのは、変化する時代における**価値観の核となるものをはっきりさせること**なのです。

9 **市民協力も、透明性と市民参加が支え合うことで構築されるもの**です。

1 市民協力と対話の新たな姿が求められています。それが**「人々が自主的に参加し、政府がいつでも対応する」というスタイル**です。

2 誰かが「私は既存の、凝り固まった社会の枠組みによる制約を受け入れる必要はないのです」と発言したとしましょう。**そう意思表示をするだけで、その人は同じように感じているほかの人々に対して社会貢献をしているの**です。

3 **個人の思いを未来の人が見つけられる場所に置いてお**くこと。これも、一種の社会貢献です。

4 自分にとって絶対的に不利な要素があるときに、その人が**不安を十分に手放すことができ、「これは自分の考えとは違うかもしれません」と安心して口に出せることが重要**です。

5 普及・拡散する権限を私がコントロールできるわけではありません。**ひとえに、皆さんの力にかかっています。それが市民協力であり、人々が未来を増幅《エンパワー》すること**でもあります。

KEYWORD 11

熟読

難解な映画『テネット』の本質をわずか二文でまとめるオードリー

複数の役職を兼任するオードリーは、自分にとって最も大切なものは時間だと率直に認めている。彼女はさまざまな方法を駆使してほとんどの時間を公務と読書に充てている。

時間を割いてようやく観たというアメリカの映画『TENETテネット』（原題：Tenet・注1）にまつわるオードリーのエピソードを例に挙げれば、ストーリーの本質を抽出する能力に彼女がどれだけ長《た》けているかが理解できるはずだ。

映画を観ている最中に内容がよく理解できなくても、まずは観たままを感じ取るようにしているとオードリーは言う。「10時間熟睡して目が覚めたら内容が分かりました。つまり10時間も残業してようやく分かったんですよ！」とユーモアを交えて語った。

彼女は『テネット』に込められた意味を次のように解釈する。

「時間の順行と逆行が交互に起きることで生まれるパラドックスが、映画の中で『機械による神の降臨』によって瓦解する。古代ギリシャ演劇のように、人間にはどうすることもできない不条理が神の手によって解決されるのです」。

150分にもわたる複雑な映画の全貌をわずか二文に凝縮して語り終えたのだ。

ちなみに、オードリーは、「この映画はサイエンスフィクションと言うよりも、ファンタジーととらえるほうが理解しやすいでしょう」とも言っている。

オードリー式高速スキャン読書法とは

全業務内容を徹底的に透明化して公開しているオードリーの生活の約2／3は、講演や国際会議、公務、市民参加の討論などに充てられている。そのため休日の過ごし方について彼女は「時間に限りがあるのでオーソドックスなものばかり観ているし、シナリオを読むほうが映画を観るより速いのです」と振り返っている。

「読む」という行為はオードリーの栄養補給ルートの一つだ。ではそこから彼女独自の「高速スキャン読書法」をのぞいてみることにしよう。

脳機能との相性がよく、「マインドマップ（注2）」にも似たこの読書法は、まずは視覚によって全文をスキャンして脳内に取り込むことから始める。すると脳の神経細胞をつなぐシナプスがキーワードをがっちりとつかみ、あるキーワードと別のキーワードの関連性を見つけて文脈構造を形成する。

簡単にいうと、この読書法はテーマからは逸脱しないキーワードを中心に、自分の連想を放射状に展開する思考方法だ。また論理的思考が順番に行われることで、全体像を客観的に理解できるだけでなく、正確な判断を迅速に下すこともできる。

性急な判断は下すまいと心がけていても、個人の時間が断片化されがちなこの時代の中でそれに専念するのは難しい。読むことと考えることが無意識のうちにしばしば同時進行してしまうのはそのためだ。オードリーはこの同時進行は次の二つに分けられると分析している。

一つは読書中に執筆者の主張に対し自分の見解を述べながら読み進める方法、つまり解釈的読書法だ。

もう一つは自由連想だ。小説などを読んだときに自分の過去の体験や記憶がよみがえることがあるだろう。これを感覚的連想とも言う。

感覚的連想は読書に彩りを添えるが、解釈的読書法の場合は読み手の立場がその本の共同執筆者に変わるため、読み手が作者の見解に沿ってその本を読み進められるとは限らない。**そのためオードリーは、読書するときは性急な判断は控えて、まず読んでみることが大切だと考えている。**

普通の人はたいてい、本を一通り読んでよく理解できなければ二回、三回と読み返し、ゆっくりと咀嚼《そしゃく》することで自分の中に吸収している。

一方、**オードリーが実践しているスキャン式読書法の場合は読むのは一回きりで、読書中に執筆者の文脈を止めないことを重視している。**そして一区切り読み終えたらベッドに入り、目覚めてから考えると、その本の文脈が完全な形で頭の中にできあがっている。だがどうやら多くの人は、本を手に取って二〜三行も読み進めると頭の中で執筆者と口論を始め、解釈的思考が始まってしまうようだと彼女は分析している。

オードリーは「この状態は感覚記憶（注3）ではありません。脳を自由にして、心の状態を今読んでいる話の構造に合わせているのです」と言う。

「私たちプログラマーが、他人の書いたソースコードを読んでいるときに頭の中から反論が聞こえることもなければ、別の人が書いたソースコードを絶対に逐一吟味することもないのと同じです。他人が書いたプログラムの奥にはその人の意思が存在するので、自分との対話は排除してその意思に従う必要があるからです。多くの人がソースコードをスキャン方式で読んでいる理由も、そのソースコードの一行一行ではなく、そのアーキテクチャ（構造）が重要だからです」。

人の目には不思議に映る高速スキャン式読書法を、オードリーはそう分析している。

彼女はまた、フィクションとノンフィクションの読書法は違うと強調する。

ノンフィクションを読むときにはスキャンモードのスイッチを入れ、スキャンを終えたら眠りにつけば、目覚めたときにはおおまかな文脈構造が記憶されている。だが、フィクションを読む場合はそれをただ受け入れることが必要だ。本を読んでいると頭の中で映画が再生されて、自分がそのシーンに入り込んだような気分になったり、譜読みをしていてメロディーが頭の中で流れたりすることがあるだろう。それと同じだ。だからこの二つの読書法はまったく異なっている。

オードリーはスキャン式読書法に短所があることも認めている。

「知識のインプットが目的とも娯楽が目的とも言いきれない書籍があります。知識のインプットを目的とした記述の中にある、美しい言葉や詩的な描写までもスキャンモードで読み取ってしまったら、その部分が取りこぼされてしまいます。概念だけが残り、細部は失われてしまうのです。それが短所です。ですからやはり、その書籍を読む目的を見極める必要があります」。

執筆者の話の腰を折らない読書法

私の場合、映画を観る時間はなかなか取れませんから、よくシナリオを読んでいます。そのほうが映画を観るより短時間で済むからです。膨大な文書を読むのは私にとって日常ですが、その中から重要なポイントや文脈をつかむために使っている方法があります。

最も重要なのは、すぐに判断を下さずひたすら耳を傾けること。文章を読むことも文章と対話することも一種の「傾聴」です。文章との対話、そして他人との対話もすべて「読む」素材なのです。

では先に大量のデータをインプットし、それから落ち着いて判断を下すにはどうしたらいいでしょう。これは練習すれば、誰でも習得できます。相手が話をしている間はその話に黙って5分間耳を傾け、頭の中でむやみに判断しなければいいのです。これを難しく感じる人は多いでしょうが、相手の話に口を挟まないようにするだけなら、まだやりやすいのではないでしょうか。

文章や資料を読むときも同じです。例えば数百ページにも及ぶ分厚い本なら、作者の話の流れに横やりを入れずに最初の200ページを一気に読んでしまい、それから改めて要点を考察します。**最初の20ページの段階で早々と判断を下すという行為は、本の内容をインプットするリズムを止めるに等しいからです。**

結果として、21ページ目や22ページ目をめくったときにあなたはもう、20ページ目の時点でできあがった固定観念によってそこから先の内容を理解しようとするでしょう。そうなると要点をつかむのは難しくなります。

なぜだか分かりますか？　それは最初の20ページから得た印象によって、その後に下す判断が決定づけられてしまうからです。これを「アンカリング効果（先に与えられた数字や情報（アンカー）によって、その後の判断や行動に影響が及ぼされるという現象を表す用語）」といいます。

私が何かを読む際、それが数百ページの本だったら少なくとも最初の200ページを一気に読み通している理由はこれです。この読み方はいわゆる多読とは少し違います。

多読とは、本を読むこと自体に価値があるという考え方ですが、私はその本の執筆者が

持つ一貫した考えを理解しているかどうか、に着目しています。

例えばあなたがある本を読み終える前に、あれはこういう意味だとか先回りして判断したら、たいていそれはあなたが「脳内補完」した、あなたがもともと持っていた考えであって、執筆者の考えではないのです。多くの人は本を読む際、執筆者に話をさせずに自分の頭の中の声と対話しているのです。

そもそも数百ページもある本の最初の20ページに目を通しただけで、筆者の言いたいことを理解できるものでしょうか。**自分の思い込みで性急に判断を下すのは避けるべきです。先入観は捨てて、まずは最低でも半分は読んでみましょう。要点をつかめるようになるのはそのあとです。**せめてそれくらい読まなければ、筆者の頭の中にある設計の完全性を把握することはできないからです。要点の理解は、これを境に簡単になります。**判断を急がないこと。これが一番重要です。**

見開き2ページを2秒で読むオードリー式高速スキャン読書法

私は今、ほとんどの本をデジタル形式で読んでいます。紙の本しかない場合も自動スキャナーでページをスキャンし、全文検索できるようにOCR（光学式文字読み取り装置、Optical Character Recognition：画像化された文字をコンピューターが識別可能な電子信号に変換するもの）を使ってデジタルファイルに変換しています。

ですから本を読む際にはたいてい、タブレット端末とタッチペンを使っています。最近読んだ約400ページの『The Routledge Handbook of Epistemic Injustice（未邦訳）』でしたら、画面に同時に表示される左右の見開きページを私が読み取るのに2秒かかりますから2秒×200回で400秒、つまりこの本を読み取る所要時間は10分以下です。ですから、性急に判断を下すことなく一気に200ページ読むことは可能なのです。

ページを読むときは、すべての行の文字が見えます。一文字一文字読むわけではなく、視線が常にスキャンし続けるような状態になっています。しかし声には出しません。**ポイントはやはり、頭の中で流れを止めないことです。**流れを止めてしまったら読み取った内容を覚えておくことは私にもできず、記憶に残るのは私が流れを止めてしまった部分だけでしょう。

この読み方を練習する場合は、最初から分厚い本は選ばず、まずはA4サイズの文章1

枚くらいから始めることをお勧めします。

そして読み終えたらすぐに眠って、翌朝目覚めたら前日に読んだ内容を思い出してみましょう。

するといくつかのキーワードが自然に浮かんできて、頭の中で一つの構造が形成されます。**人間は睡眠中に、短期記憶の中で印象深かったことや将来的に役立ちそうなものを長期記憶に書き込むからです。これが、脳が要点を仕分けるプロセスです。**

これは感覚記憶ではないので、文字の大きさや色を覚えておくことはできませんが、キーワードやキーワード同士の関連性は記憶できます。人間は連想することによって長期記憶を書き込んでいます。つまり私がキーワードや画面、映像などを思い出したときに、文脈構造のつながりが形成されているのです。

そこで、私はデジタル形式ならではの全文検索機能を多用しています。紙媒体の書籍などの場合、ある概念と別の概念との関連性を覚えておくことはできますが、全文検索機能なしでは目当てのページに一瞬で跳ぶことはできませんから。私の読書法はこの機能があるからこそ成り立っていると言えるでしょう。

ですから私が人に『The Routledge Handbook of Epistemic Injustice』の内容を説明するとしたら、全文検索機能を駆使してキーワードを追いかけ、根拠となる記述を文中から探すでしょう。

私の頭の中にはすでに構造ができあがっているので、その構造に関連するデータを調べるのに時間はかかりませんし、しかもランダムアクセスが可能なので、順番に読み返さなくても読みたい部分に直接跳ぶことができます。ですからこの検索機能を使えば、必要な部分をすぐに見つけられるのです。

大切なのは、判断してはならないのではなく、判断を下すのは一区切り読み終えてからだということです。相手があなたに何かを伝えるつもりで準備を整えているのに、いざ二言三言話したところであなたが口を挟んだら、その人が本当に伝えたいことを理解できるわけがありません。「なるほど」「分かった」などと相槌《あいづち》を打ったところでそれは嘘《うそ》です。脳内補完であり、幻想です。

だからといって何がなんでも一冊読み終えてから判断しなさいと言っているわけでもありません。ただ、せめて半分、あるいは一区切り読めば、作者の主な論点が明らかになっているかもしれないのです。そうすれば客観的に、中立的な判断を下せるでしょう。相手の話の腰を折りさえしなければ、相手や執筆者の文脈を完全に理解して判断することは、極めて簡単なのです。

判断を急がず、データを集めてから行動する

ときには判断を下すのが難しい場合もあるでしょう。

それは、頭の中に不確かなものが多くて、どういう状況が最適なのか分からないからです。自由に裁量してよい部分が多くなるほど判断が難しくなるのは、客観的なデータによる裏付けに乏しいからです。

ですが判断を急ぐのをやめれば、客観的事実とその受け止め方が非常に明白になり、迅速な判断ができるようになります。機が熟したからです。

たとえて言うなら、せいろで何かを蒸すのと同じです。もうできたかなと5分おきに蓋を開けていたら、いつまでたっても蒸し上がりません。

読み終えたあとに文脈が形成されると、新たな文脈に沿って議論をやり直すこともできるうえ、その議論のあとに行動が触発されるという、より好ましい効果が生まれます。

（コロナ禍で打撃を受けた台湾経済を立て直すための）経済振興策を決定する際に、台湾行政院が「振興三倍券」プラン（172ページ参照）を発表したときがそうでした。当時、なぜ現金の直接給付を行わないのかと何度も聞かれたように、このプランには異論が出ることが予想されていました。

日本では特別定額給付金が支給されましたが、オンライン申請に混乱が生じ、実務担当者が申請者の代わりに手書きで申請用紙を記入するなどして国民に給付金が行き渡ったと聞いています。

またその後、現金給付によって国民の貯蓄が増え、消費活動が減っていたことも分かりました。貧困救済効果はあったものの、経済振興効果は上がらなかったのです。

私たちは人々が外出できるようになることを望んでいました。当時、現金給付でなく、販売促進のためのチケットを配布するという判断を下したのは、人々は店でお金を受け渡しする体験を求めているのだと理解したからです。

一方で、私たちの真の目的はコロナ禍で苦境にある小売店や飲食店の皆さんに（人々から手が差し伸べられていると感じて）温かい気持ちになってもらうことだとも意識していました。
この感覚は自分の銀行口座にお金が振り込まれることでは得られません。人々が外に出て消費活動を行ってこそお金が役立つのです。
この決定を迅速に下すことができたのは、客観的事実と、人々がどんな体験を求めているのかを示すデータが十分に収集できていたからです。やはり初期に性急な判断を下さなかったことが功を奏したと言えるでしょう。

注1 **『TENET テネット』（原題：Tenet）**
2020年公開のクリストファー・ノーラン監督・脚本・製作によるSF映画。

注2 **マインドマップ**
イギリスの著述家・教育コンサルタント、トニー・ブザンが提唱した思考の表現方法。用紙の中央に議題となるメインテーマを配置して、テーマから連想されるアイデアや情報を線でつなげながら、分岐させるように放射状に展開していく。

注3 **感覚記憶**

音やにおい、味、触覚、視覚といった五感を通じて人間が感じ、記憶として脳内に定着する前の一時的に保持される情報。

6 **読み終えたらすぐに眠って、翌朝目覚めたら前日に読んだ内容を思い出してみましょう。**人間は睡眠中に、短期記憶の中で印象深かったことや将来的に役立ちそうなものを長期記憶に書き込みます。これが、脳が要点を仕分けるプロセスです。

7 大切なのは、判断してはならないのではなく、**判断を下すのは一区切り読み終えてから**だということです。

8 判断を急ぐのをやめれば、**客観的事実とその受け止め方が非常に明白になり、迅速な判断ができる**ようになります。機が熟したからです。

1 最も重要なのは、**すぐに判断を下さずひたすら耳を傾けること**。文章を読むことも文章と対話することも一種の「傾聴」です。文章との対話、そして他人との対話もすべて「読む」素材なのです。

2 これはいわゆる多読とは少し違います。私はその本の**執筆者の一貫した考えを理解しているかどうか**、に着目しています。

3 ある本を読み終える前に、あれはこういう意味だとか先回りして判断したら、たいていそれはあなたが「脳内補完」した、**あなたがもともと持っていた考えであって、執筆者の考えではない**のです。

4 **先入観は捨てて、最低でも半分は読んでみましょう**。要点をつかむのはそのあとです。読むときに判断を急がないことが一番重要です。

5 この読み方を練習する場合は、最初から分厚い本は選ばず、まずは**A4サイズの文章1枚くらいから始めること**をお勧めします。

STEP

4

問題を手放す

KEYWORD 12／競争からの脱却

KEYWORD 13／自分と向き合う

KEYWORD 14／至高の喜び

KEYWORD 15／死を見つめる

KEYWORD 12

競争からの脱却

問題を手放す

競争の意義を見直そう

オードリーと語った「競争力」の話は興味深いものとなった。彼女は早くから自主的に自己学習してきた者として、社会の主流が「競争」に抱いている価値観に対し、訳語としての「競争」についても「競争」の概念についても反旗を翻しただけでなく、その定義を新たに書き換えてみせた。

「インターネットの世界は場所や時間の制約を超えて多次元にわたります。**この複雑さによってシミュレーションされているチームワークモデルが今や、これまで唯一の価値観だった個人間の競争モデルに取って代わりつつあるのです**」。

オルタナティブ教育（公教育などの伝統的な教育とは異なる教育）は今日でこそ台湾で盛んに行われているが、それがなかった時代に幼少期を過ごしたオードリーは12歳にもならないうちに不登校となり、それからは『成長戦争』（オードリーの母親である李雅卿《リーヤーチン》さんが子育てについて記した著書）に陥ることになった。そしてオードリーが既存の学校教育を脱出し、独学を究めると、人々は「高IQ者」、「天才」、「メディアの寵児《ちょうじ》」といったステレオタイプの印象を彼女に抱くようになった。

しかしオードリー自身は幼いころから聡明だったからか、常に自然体だった。もっと言えば、彼女は基本的に何も変わらず、周囲の環境に柔軟に対応しながら、社会の反応からはつかず離れずの距離を保っていた。

かつて「不登校児」と呼ばれたオードリーが、2015年には十二年国民基本教育課程綱要発展委員会の委員に就任して新課程綱要計画に加わったことは、非常に感慨深いものがある。

いずれにせよ、一等賞を重んじる東洋の競争意識に対し、そんな考えは無意味だと声をあげるのは勇気のいることだ。

ハイテク技術がもたらした利便性が私たちの生活に入り込んだ今日、資源競争が激化した。その結果、ドイツの社会学者であるユルゲン・ハーバーマスが「システム（効率）は我々の生活を植民地化した」と形容した苦難が生まれたのだ。

そして「植民地化される」圧力に耐えかねた若者が、この世界からの「早期ログアウト」――死を選択するようになった。

この章では、オードリーが考える「競争」のとらえ方、「正常」と「正常でない」の定義、世界中で行われている競争に対する提案をお伝えしたい。

競争以外の選択肢を探そう

人がその成長過程で、スポーツで勝利したときの気持ちを味わったり、負けても堂々とスポーツマンシップを発揮したりするのは悪いことではありません。

一日のうちの1~2時間を誰かとの勝負に費やしたところで特に支障はないけれど、24時間のうち18時間それればかりやっていては、精神的に大きな負担になると声を大にして言いたいのです。

つまり、私たちには常に選択肢があるということです。あなたのいる環境があまりにも厳しいものだったら、何かを選択した場合の選択の機会コスト（注1）が跳ね上がるのも確かです。

この場合の対処法を二つに分けて考えてみましょう。

まず、あなたが機会コストを払いきれないなら、ほかに生き延びる方法はあるだろうかと考えるのが最初の方法です。通常は失業給付や生活保護といった社会的なセーフティネットから見つかるでしょう。

もう一つは、こうしたセーフティネットに頼れるのなら、しばらく何もしなくてもいいけれど、思い切ってまったく違う文化に飛び込んで生活したり仕事をしたりするやり方です。

ちなみに、私の母が出版社を辞めて学校運営に携わった場所は、母の以前の職場とはまったく文化の異なるタイヤル族（台湾北部に住む原住民族の一つ・注2）の集落でした。都会人なら気になることも、タイヤル族の人にとってはどうでもいいことだったりします。そして彼らが気にかけていることを私たちが理解するには、ある程度時間がかかるでしょう。

つまり、あなたがまっさらな状態に戻っても、本来持っている革新力（制度や習慣を新しくする力）はまだ生きているのです。

都市社会における、他者との競争を伴うさまざまな決まりごとや、成功したとか失敗したといった次元の話は、集落の人々の感じ方や生活リズムとは異なっています。ですから集落に入ると自分の概念を微調整したり、方向転換させたりする機会が得られるのです。

ちょっと休憩したくらいで敗者に転落することはありません。ただ新たな次元に到達して、もともと使っていた物差しが自然と役に立たなくなるだけなのです。

あなたの価値はどこにある？

これまでのやり方を脱却して新しい習慣を身につけるには、当然ながらある程度の時間が必要ですし、年齢が上がると2か月はかかるでしょう。最初はうまくいかないかもしれませんが、その間に徐々に変わっていきます。2か月間継続させる方法は人によって異なります。

新しい習慣を身につけるときに私が重視しているのは、あなたの価値を経済力ではなく社会にどれだけ貢献できるかで判断してくれる場所に、移住などを通じて行ってみるというやり方です。日本にも台湾にもこのような体験ができる場所はたくさんあるでしょう。移住に限らず、一番簡単な方法はおそらく、普段の環境から一歩踏み出して何か別のことを試してみることです。

少しの間、仕事に直接関係ないことに目を向けることは、「自分の既存モデルを自分で

打破する」種をまいているのと同じです。

例えば自分の知識を使ってウィキペディアの内容を修正したり、公共分野のデザイン設計に参加したり、自宅前に誰もがお茶を飲める休憩スペースを用意したりすることであっても、すべて自分の殻を破り、社会貢献につながるのです。

自分のできる範囲で、毎日たった15分を社会貢献に充ててみても、大した手間はかかりません。ですが**社会貢献をしたことで、まずあなたの気分がよくなります。しかも、同じように社会貢献をしている人々がいることに気づくでしょう。**

「正常（ノーマル）」という言葉にほとんど意義がなくなった現代

私たちの生きる環境は常に変化しています。実際のところ、ほとんどの人が「正常でない」と私は感じています。

現代のようなブロードバンド社会では、昔のように大勢の人が同じ時間と空間の中に存在する情報に触れる可能性がほぼ消えたこと、そして時間や場所を超えた多次元空間であるインターネットでは「正常《ノーマル》」という言葉にほとんど意義がなくなったことが、その理由です。

「正常な人」という概念はおそらく、スマートフォンやインターネットが普及する以前ならある程度解釈の役割を果たしていたと思いますが、今では何の意味もないと言えるでしょう。

もはや「正常な人」と「正常でない人」の間にあった境界線は消えたのです。昔は正規分布（注3）という言葉がありましたが、インターネットの世界では、多次元はもはやありふれた概念ですから、「これが正常です」と断言できるものはありません。

個人の場合は自分の内側に答えを求めることができますから、100人いれば100通りのやり方があるでしょう。**あなたがどうやって自分自身と良好な関係を結ぶかが問われているのです。**

ほかの人と良好な関係を結び、そして自分をよりよい状態にするには、その前に自分自身と仲良くなる必要があります。あなたが徳（立派な行いや品性）に基づいたロジックと文脈で思考を進めているのなら、正常かどうかという議論には何の意味もありません。なぜなら正規分布という概念を必要とするのは、功利主義（注4）だけだからです。

多角的な視点に立たなければ解決できないほどの大きな問題は、あなた一人だけが熱意を持って取り組めば解決できるようなものではないため、ほかの人と「共創」して対処する必要があります。

また問題を解決する視点を吟味することは、誰かのFacebookページを眺めてその人のやることをただ真似《まね》したり、賛成や反対を表明したりすれば勝手にうまくいくような類のものではないのです。

あるグループになじめない人が、周囲の歓心を買うためにグループ内で破壊的な行動に及ぶことがあります。

こうしたケースではその破壊的行動には反応せず、その人にはそうせざるを得ない理由があったのだと理解して、その人が本当の欲求を表に出せるよう力づけて、その部分にだけ反応したらいいというのが、私からの提案です。これもほかの人の声に積極的に耳を傾け、良好な関係を結ぶ方法です。

外に出て学び、考える時間の大切さ

試しに外に出て、外部環境の中で学んでみるといいでしょう。私は複数の国で2年間にわたり一つのプロジェクトに関わったことがあります。当時の成果はpugs.blogs.comに日記のように記録されていますが、さまざまな国の人とコミュニケーションを取るときに、身振り手振りを交えたり、言語の時制を間違えたりしても、相手は理解してくれました。それは私たちが主に、プロジェクトの内容について話し合っていたからです。

私が目標を立ててその非常に複雑なプロジェクトに参加した当時、もし世界中の専門家が協力し合っておらず、自分は大きなジグソーパズルの中の1ピースなのだという気持ちで行動していなかったとしたら、そのプロジェクトは完成しなかったでしょう。

台湾では別の文化圏を訪れるのに30分もかかりませんし、島内移民（移住）をすると自分の文化的視野が変わります。例えば私が烏来《ウーライ》（台北北部の山地）で行った自己学習（注5）でも文化の転換《スイッチ》が起こりました。

知識を蓄え、それを必要に応じて使うためには、情報を得るときには常によそのお宅にお邪魔して話を聞かせてもらうような気持ちでいることが前提です。すると問題が必ず解決するかどうかはさておき、少なくとも問題を見つけることはできます。

通常、問題を発見した人が必ずしも問題の解決を望むとは限らないのですが、一般的には、問題を見つけた人がその問題を解決しなければなりません。ですが私に言わせると、そのほとんどはすでに解決していて、その解決策をほかの人たちがまだ知らなかったり、誤解していたりするだけなのです。

このときにその人の問題解決方法を定量化して、皆さんに理解してもらうことが私の仕事です。そうすれば問題は自然と解決します。ですから実際のところ、私がその問題を解決する必要はないのです。

一人でじっくり考える時間には2種類があると私は考えています。空想と熟考です。空想とは、何かを考えているけれども具体的な内容がない状態です。一方で、熟考する場合は通常、具体的なテーマがあります。私が熟考する際のテーマは、皆さんと行う相互交流のことです。

成績だけで子どもを判断しない新教育改革

2015年に私は、十二年国民基本教育課程綱要計画に携わりました。学習履歴（注6）に対する基本的な考え方は、次の通りです。

問題解決型授業（PBL）を行うとき、どの子も自分が問題だと思っている問題を抱えているけれども、だからといってその子の教師がそれを問題ととらえているとは限りません。ですから、その子は問題児だとみなされるべきではないし、むしろその子の学習方向はその子が自分で決めるべきだというものです。

モンスターを倒すためにチームを組むときのように、さまざまな履歴を持つ生徒を受け入れて、メンバー同士が競い合うのではなく補い合うチームを結成するのです。

もし学習履歴を考慮せずに単に学年順位だけで判断してチームを組んだ場合、そのチームは「フォルスプロキシ（偽のプロキシサーバー）」であり、何の意義もないものとなってしまいます。

なぜなら成績の学年順位は、その子が大学や将来の職場で他者と助け合い、協力して問題を解決できる力を身につけているかどうかにまったく関係ありませんし、もしかしたらそれが悪い方向に転ぶこともありうるからです。

新課程綱要が制定された当初、人々がこの新たな教育課程になじむには3年ほど時間がかかるだろうと言われていました。そして現時点でこの学習履歴（の中に記されている、いわゆる勉強以外で培ってきたものも含めた子どもの力）が、大学や社会で活用されたことはないのです。

ですから学習履歴の導入によって子どもたちがどんなふうに変化するか誰もよく分かっていないし、それを通じて培ってきたものをどうやって大学受験や大学生活、実社会で応用したらいいのかも分かっていません。

素養とは、個人が現代の生活に適応し、未来にチャレンジするために身につけておくべき知識や能力、技術、姿勢などのことです。いわゆる「素養導向升学概念（素養主導の進学概念）」という教育理念はようやく現在の高校2年生まで蓄積されたところですから、今後はさらに高校側と大学側が（子どもたちが素養導向升学によって身につけたさまざまな財産を今後の大学生活でどのように生かしていくのかについて）話し合う必要があります。これを社会に出たあとのキャリアと結びつけることができるのは、もっと先の話でしょう。

若者は社会で何か役立つことをすべきだ──そんな期待感が常に社会に存在するため、多くの若者には、社会の期待に背いて自分の進む道を自分で探すための手段がありません。

もし私たちの社会が「成功か失敗か」という価値観で人を判断するのではなく、「あなたが今興味を持っているテーマは何ですか」と問いかけるようにしたら、個人間に存在する、競争に起因する困難や問題は自然と消滅するでしょう。

必要なのは、競争力か中核能力（コア・コンピタンス）」か

台湾では、特定の大学に入学した若者は、おそらく子どものころから個人間の競争で勝ちなさい、と言い聞かされて育ったことでしょう。この種の話は心理的には非常に不健康ですし、そもそも必要なわけでもありません。実際、社会に存在するほとんどの競争は団体戦、つまり企業間や組織間の競争であって、個人対個人の競争はほとんど残っていないのです。

ですから若者が何らかの圧力にさらされたときに息抜きしたり一時的に逃避したりする機会も得られなかったら、彼らはこの世からのログアウトを早める（自殺する）ほうがましだと思うようになるでしょう。これは社会の病巣だと思いますし、その原因を突き詰めると、やはり個人間の競争に行きつくのではないでしょうか。

課程綱要の見直しによって大学入試制度も一新されたため、今後は基本的には成績の学年順位は大学入学の判断材料にはならず、むしろ学習履歴のほうが重視されるでしょう。

かつて「competence《コンピタンス》（何かをするために必要な能力）」が「競争力」と翻訳されたために、個人の競争力を鍛えろ、スタートラインで敗北するな、と叫ばれるようになり、産業全体

もこれに倣いました。

ですから今になって突然、「個人間に競争など存在しませんよ、大切なことは核心素養（個人が現在の生活に適用し、将来の課題に対峙するために備えておくべき知識や能力、態度）だけですよ、皆さん考えを改めてください」と言われてもすぐには切り替えられないでしょう。もちろん、団体間の競争は進歩を促します。ですがそれは、個人が一人で完成させられるようなものが存在しないからです。

つまり、「個人の競争力」は誤訳だったのです。原語にもそのような意味はありません。competence はコア機能、中核能力（注7）、コアリテラシーなどと訳すべきでしょう。

実際の話、従業員同士を競争させるような社長のいる会社には、大した競争力はありません。従業員が社内で疲弊してしまうため、社員が助け合っている会社に負けてしまうのです。

例を挙げましょう。ヒトゲノム計画（ヒト染色体の遺伝情報を解読する計画）ではオープン・イノベーションが重視されていますが、あるチームが利益の追求方法を考え尽くして、できるだけ早く特許を取るべきだと主張したところ、別のチームが反対しました。当初は団結力がなさそうに見えたこのチームが、さまざまな部門の能力を結集して公共の利益のために尽力したことで、最終的にはヒトゲノムが特定の企業の特許にならずに済みました。この話はよく知られています。

かけっこで勝つ必要はない

人はなぜ組織を作るのでしょうか。一人の手で完成させられるものなどないため、誰かと作業を分担する必要があるからです。個人間の競争は、今では陸上競技くらいしかありませんし、私たちはほとんどの時間を、志を同じくする人たちとチームを組んで過ごしています。

私が問題視しているのは、社会が特定の大学の学生に向ける期待が、陸上競技場で行われる個人間競争と似ているという点です。これは実際には、必要ないことです。

「個人の競争力」という言葉が出てきたら、必ず心がダメージを受けます。

私が幼いころから天才児と呼ばれてきたのは、誰かを押しのけてきたからではありません。個人の競争力など、起業には必要ないのです。人々が期待しているのは、私の起業テーマによって社会に何か新しい学びが生まれたり、社会問題が解決されたりすることであって、私が競技場でほかの選手たちとタイムを競い合うことではないでしょう。

人々が私を賞賛するのは、社会全体をよりよく変えるために勇気を持ってリスクを引き受けてくれる人を称えたいからだと思います。

私をほめてくれる人は私に媚《こ》びているわけではなく、私がそのリスクテイカーの部類に入っているから評価したいのでしょう。私のことを、起業する勇気を持った社会的成功者ととらえているからでしょうが、そのことと個人間の競争は、まったく関係ないことです。

競争ではなく、分かち合う文化を

なお、仕事の場合、今重視されているOKR（目標と主要な結果）という概念では作業者が自分で目標を立てるのですが、昔のKPI（重要業績評価指標）では自分以外の人が目標を立てていました。自分で目標を立てると、人から目標を与えられるよりも自主性が高まります。この点が両者の違いです。

もし私が「私の作品の方向性が私自身ではなく、お金を出してくれる人に決定され、しかもその人に著作権や独占権なども求められる」という状況に置かれそうになったら、私はすぐに相手と条件を話し合います。

私は10代のころにはすでに、自分の作品は無償で提供するけれど自分の時間はとても貴重だと確信していました。当時は、自分が20歳になったときの時給を3000元（約1万2000円）に想定しましたが、もし「私が生み出したものを無償にすれば誰でもそれを使えるし、未来でも使ってもらえる」という前提があれば無償でいいと思っていました。ですが仮にAさんが私の作品を独占したいと言ったら無償にはせず、時給6000元（約2万4000円）の価格をつけます。この場合、私の作品はAさんと私の二人しか使えないことになるからです。

そしてBさんという別の使用希望者が現れた場合にAさんが「これを使うには自分の許可が必要だ」とか「Bさんが使ったことで社会によい影響を与えたら、その功績も私のものだ」などと言い出したら、さらに高い金額を提示するでしょう。作成者の私ですらそれを使えなくなるのですから、この場合は時給1万2200元（約4万8800円）を請求します。

たいていの場合はこの三つのパターンに分けられます。ここには競争という概念は存在しませんし、私が面接でライバルを蹴落とす必要もありません。私に何ができて何ができないかを、面接官もすでに承知しているからです。ヒューマンリソースという既存の概念は影響を及ぼしません。

実はこのような経歴は、自分の価値を学歴や個人間の競争に必要な経歴よりも高めることのできる、非常に戦略的なものなのです。

私は自分の主な経歴は学界や実業界でのキャリアではなく、社会部門で行ってきたことだと考えています。私が無償提供したものが広く使われるようになったために、私の会社が倒産したり私の手掛けたプロジェクトが中断したりしても、多くの素材は未来の人に使ってもらうことができるのです。

これが協働による共通の利益の実現です。限りある資源をみんなで奪い合ってセクショナリズム（注8）を形成することではないのです。私は20歳のときにこの「みんなで分かち合うシェア文化」に触れました。私にとって一番自然な文化ですし、糧《かて》にしています。

注1 機会コスト
複数の選択肢から一つを選び、実行した場合に得られる利益と、別の選択肢を実行していた場合に得られていたであろう利益との差。会計学上の利益ではなく、経済学上での利益を指す。

注2　原住民族

台湾における原住民族は彼ら自身の望む呼称であり、「先住民」は台湾では「すでに滅びた民族」を意味することから、本書では正式名称である「原住民族」と表記する。

注3　正規分布（ガウス分布）

連続確率分布の代表的なもの。例えば、成年男子の身長の分布などのようにグラフに描くと、左右対象で中心の平均のところが最も高く、左右に裾野を持つ釣鐘型の曲線を呈する分布をいう。

注4　功利主義（ユーティリタリアニズム）

社会全体の幸福度が最大になるような行為を行うことが正義とみなされる考え。多数派の最大幸福を実現するために、少数派が切り捨てられるおそれもある。

注5　烏来山で行った自己学習

オードリーは14歳のころ、内省する時間を確保するため、台北北部の山地、烏来の山小屋に一人でこもった。その後、学校教育から自主退学し、15歳で起業した。

注6　学習履歴

在学中に生徒が学校で学んだすべての内容を記録したもの。成績だけでなく、課外活動やボランティア活動なども含まれ、大学入試では成績以外のこうした活動も評価対象になる。

注7　中核能力(コア・コンピタンス)

競合他社を圧倒的に上回るレベルの能力や、真似されることのない核となる能力のこと。本文では、この用語を個人の能力に応用して言及している。

注8　セクショナリズム

集団や組織において、各部門が自分たちの持つ権限や利害にこだわって外部からの干渉を排除し、部門間で協力せず、組織全体の利益や効率性を考えずに行動する状態。いわゆる縄張り争い。

7 知識を蓄え、それを必要に応じて使うためには、**情報を得るときには常によそのお宅にお邪魔して話を聞かせてもらうような気持ちでいる**ことが前提です。問題が解決するかどうかはさておき、少なくとも問題を見つけることができます。

8 私たちの社会が「成功か失敗か」という価値観で人を判断するのではなく、**「あなたが今興味を持っているテーマは何ですか」と問いかける**ようにしたら、個人間の競争に起因する困難や問題は自然と消滅するでしょう。

9 私が問題視しているのは、社会が特定の大学の学生に向ける期待が、陸上競技場で行われる個人間競争と似ているという点です。これは、実際には必要ないことです。**「個人の競争力」という言葉が出てきたら、必ず心がダメージを受けます。**

1 あなたが**まっさらな状態に戻っても、本来持っている革新力はまだ生きているのです。**

2 **ちょっと休憩したくらいで敗者に転落することはありません。**ただ新たな次元に到達して、もともと使っていた物差しが自然と役に立たなくなるだけなのです。

3 私が重視しているのは、あなたの価値を経済力ではなく、**社会にどれだけ貢献できるかで判断してくれる場所に行ってみる**というやり方です。

4 **少しの間、仕事に直接関係ないことに目を向ける**ことは、「自分の既存モデルを自分で打破する」種をまいているのと同じです。

5 自分の**できる範囲で、毎日たった15分でも社会貢献に充てる**と、まずあなたの気分がよくなります。しかも、同じように社会貢献をしている人々の存在に気づくでしょう。

6 ほかの人と良好な関係を結び、自分をよりよい状態にするには、**まず自分自身と仲良くなる必要があります。**

KEYWORD 13

自分と向き合う

一人になって自分と向き合うメリット

「自分と向き合う」という生き方はもはや、現代社会に普遍的に存在する事実であり、現実でもある。イギリスの精神科医アンソニー・ストーは著書『孤独』（創元社）の中で、孤独に向き合うと想像力が養われるだけでなく、大脳の統合が進み、天賦の才能や潜在能力が開花すると述べている。

カフカやベートーベン、カント、ニュートン、ヴィトゲンシュタインといった天才たちは創作活動を行う際に高い集中力を維持するため、長い時間をかけて孤独に対峙することを欲した。その結果、彼らはさまざまな偉業を成し遂げた。

自分との向き合い方を理解すれば思考の道筋が少しずつ輪郭を帯び、自分に安らぎを与えられるようになり、孤独から生まれる恐怖感に飲まれることもなくなる。

多忙な現代人にとって、自分に向き合う時間の優先的な確保は一つの課題ではあるが、決して難題ではない。

現にオードリー自身はそれを実践している。子ども時代に自分と向き合うすべを身につけていた彼女は自己学習をしていた時期に、母親である李雅卿さんの同意と教師たちのサポートを得ると、自分で調理できる簡単な食材を準備して台北北部にある烏来の山小屋に向かい、外部との交流を絶って三週間を過ごした。

オードリーが寝泊まりした山小屋にあったのは簡易コンロだけだった。小屋には灯《あか》りすらなく、昼間は太陽の下で本を読み、自然を眺めた。日が暮れると、月の光が差し込む室内で彼女に寄り添っていたのは渓流のせせらぎ、そして虫や鳥の鳴き声だった。

彼女はただ自分自身と対話し、大自然との他愛のないおしゃべりに興じた。勉強を始めてこのかた、社会の主流の価値観と衝突を繰り返してきたオードリーは、この安らかな静寂に身を置いたことで世の中の雑音から遠ざかることができたのだ。そして玉ねぎの皮を一枚一枚むくように、心の内側の最も深い部分に向けて「自分とは何か」の答えを模索し続けた。

自分のための空間と時間を確保する

「今は立場上、人と話すことがとても多いのですが、もし一人きりだったら一日中しゃべらなくてもまったく問題ありません」とオードリーは言う。

ものごとを徹底的に考えてクリアにしたら、そこから得たものをすべて適用すること、そして自分と向き合うことを、オードリーは自在に行っている。

最初に取材を行った場所は行政院の彼女の執務室だった。器材を準備しながらふと振り返ると、上背180センチのオードリーが、執務室の中の小部屋から姿を現した。その部屋は、彼女が考え事をしたり、休息を取ったりするための場所で、書棚の裏側に隠されていた。

この登場シーンにワクワクした私たちはふざけて「それ、ドラえもんのどこでもドアですか？」と声をかけた。すると彼女もユーモアでもって応じた。「引き出しから出てきたんですよ」。

瞬く間に最年少のデジタル担当政務委員に転身し、過密スケジュールが常態化したオードリーにとって、その小部屋が日常の中でわずかに残された、自分と向き合う時間を保てるスペースなのだろう。

取材を続けるうち、一日に必要な睡眠時間は8時間だと彼女が頻繁に口にする本当の意味を悟った。この間に英気を養い、十分な睡眠を取るというだけではない。多くの場合「自分のためにとっておいた時間」を指し、読書や思考、あるいは静かに自分との対話を行うために使う時間のことも指しているのだ。

確かに私は原則的には、すべての仕事の透明性を保って公開していますが、オフの時間や睡眠中の8時間をライブ配信することはありません。仕事が終わったらもう終わりです。仕事時間と休息時間は区別していいでしょう。

いわゆる透明性は、公共の利益と切り離すことのできない基本的価値観の上に成り立っていますが、個人の睡眠時間に公共の利益は存在しませんから、そこに透明性という原則を当てはめる必要はありません。

眠っていようが何かほかのことをしていようが、仕事のあとの時間はすべて、自分自身と向き合う時間です。必要な睡眠時間は人によって違うため、私の場合は8時間で十分ですが、12時間は寝たいという人もいるでしょう。ほどよいバランスは自分で見つけるしかありません。

デジタル時代の身の慎しみ方

人は一人になったとき、自分の行為に特に慎重になるべきだと私は考えています。

私がタッチスクリーンをほとんど使わず、タッチペンやキーボードを間に入れることで端末と自分との間を隔てているのも、コンピューターで読書やブラウジングをするときに、キーボードとタッチペンの両方を使って操作しているのも、自分のそのときの状態を、私が自分一人の時間を過ごすときの起点にしたいからです。

つまり、スクリーンを指で触れることによって、脳に「スクリーンは手の延長だ。スクリーンは私が今行っている動作の一部だ」と誤解させたくないのです。もしこの状態が内在化されてしまったら、コンピューターや携帯端末のスクリーンを指で触るという動作が無意識に行われ、しかも思考や読書はその状態からスタートします。

これでは私はもはや意識的な行動者とは言えませんし、そのときの私の目に新しいものは映らないのです。

スマートフォンやタブレットなどを手で触れて行うスワイプによって、私たちは無意識のうちに新たな刺激を受け続けます。そんな環境では、本当に一人になって自分と向き合うことなど不可能でしょう。

スクリーンから飛び出すさまざまな情報にさらされていると、まるで自分が家畜にされてエサを与えられているような気分になります。**一人でいるときにスマートフォンをいじっている人は珍しくありませんが、そうした状態は一人の時間を奪われているのと同じです。**

社会と接触していなくても、やはり社会的な状態に入り込んでいるのです（ちなみに私はスマートフォンを使っていません）。

練習すれば自分との本当の向き合い方が分かります。スワイプをやめればいいのです。

「侵入的」でない音楽を聴くのもいいでしょう。「侵入的」という言葉を私は、「ある情報を誰かの目の前に突き付け、間髪入れずにああしろこうしろと迫る」という意味で使っています。

せっかく一人の時間を作っても、スマートフォンをいじってばかりだと「数量限定、購入はお早めに！」といったセール広告などが頻繁に目に入ります。するとあなたは、行動や創造性を伴う社会的状態に引き戻されてしまうのです。これではせっかく一人でいても、自分と向き合っていることにはなりません。

睡眠は、自分と向き合い自己整合を行う希少な時間

一人でいるとき、あなたをどんな行動にも駆り立てることのないポッドキャストや音楽を流すことで、自分をリラックスさせることができるでしょう。私は読書中に聴き慣れた音楽を流すこともありますが、そのときに耳に入るのはメロディーだけですから、歌詞に邪魔されずに読書に集中できるのです。

通常、私の個人的な時間のほとんどは寝る前か目覚めた直後です。

ですが、睡眠も、誰にも中断されずに自分と向き合う時間と言えるでしょう。人間関係でいつも疲れを感じている人は、毎日十分な睡眠を取るようにすれば疲弊した気力を回復できます。

ただし、自分の睡眠時間を削って他人の都合を優先しているのなら注意が必要です。睡眠不足は高利貸しから借金するようなものですから、翌日にその人と会ったら疲労感がさらに増すでしょう。

私が自分自身の観点を維持できているのは、日頃から自分自身と向き合う時間を確保で

きているためです。思考形成とは睡眠中にセルフコンシステント（注1）が行われることだからです。これを「自己整合」ともいいます。

セルフコンシステントが実現したら、自分の（思考や生活上の）全体構造のバランスの維持にあまり時間がかからなくなります。自分自身を理解し、その思考に一貫性がある状態だからです。

実生活での経験も同じです。初めてＶＲ（仮想現実）を体験したときも私は一人きりでした。そのとき、私は国際宇宙ステーションから銀河を眺めるＶＲを体験していたのですが、静寂にひたりながらも孤独感や寂寥感《せきりょうかん》はみじんも感じませんでした。

それどころか、直感やインスピレーションが冴《さ》えわたる感じさえ覚えたのです。自分と向き合う、非常に貴重な体験でした。

注1 セルフコンシステント(self-consistent)

求めるべき解が自分自身を含むような問題、あるいはそのような問題に帰着させる解析手法のこと。得られる解が与えられる解の候補と一致しなければならないため自《じ》己《こ》無《む》撞着《どうちゃく》・自己整合などと呼ばれる。撞着とは整合性がなく矛盾することを指し、無撞着であることは矛盾がなく整合することを意味する。

6 私が自分自身の観点を維持できているのは、日頃から自分自身と向き合う時間を確保できているためです。**思考形成とは睡眠中にセルフコンシステント（自己整合）が行われること**だからです。

1 眠っていようが何かほかのことをしていようが、**仕事のあとの時間はすべて、自分自身と向き合う時間**です。

2 人は**一人でいるとき、自分の行為に特に慎重になるべき**だと私は考えています。

3 スマートフォンやタブレットなどを手で触れて行うスワイプによって、私たちは無意識のうちに新たな刺激を絶えず受けます。**そんな環境では、本当に一人になって自分と向き合うことなど不可能**でしょう。

4 一人でいるときにスマートフォンをいじっている人は珍しくありませんが、そうした状態は一人の時間を奪われているのと同じです。**自分と本当に向き合う時間を確保するには、スワイプをやめればいい**のです。

5 睡眠も、誰にも中断されずに自分と向き合う時間と言えるでしょう。人間関係でいつも**疲れを感じている人は、毎日十分な睡眠を取るようにすれば疲弊した気力を回復できます。**

KEYWORD 14

至高の喜び

オードリーの心を満たす「法喜充満」とは

オードリーの業務記録が公開されているPDIS（パブリック・デジタル・イノベーション・スペース）のウェブサイトをのぞくと、講演会やインタビューの予定がびっしり組まれてかなりの時間を占めているうえ、そこに公務は含まれていないことが分かる。

彼女は自分が行う対話のすべてを、公共の利益である「共創コンテンツ」を創造するプロセスだと考えているため、愛読書を問われれば侃々諤々《かんかんがくがく》の論議に火がつき、好きなラップ・ミュージックの話になると嬉々としてそれを口ずさむ。もちろん歌詞はすべて暗記している。

だが普段の食事に話が及ぶと「炭水化物とタンパク質と脂質」とあっさり答える。また毎日同じ服を着ても構わないと言い、実際に彼女の服装はいつもリサイクル素材の白地のシャツに、藍染めのジャケットと黒のパンツを組み合わせたスタイルだ。

もっとも彼女はクスリと笑うと「もちろん、毎日ちゃんと洗ったものを着ていますよ」と念押しした。

オードリーが常に体の栄養よりも心の栄養をより欲していることは十分に見て取れる。

心の栄養もまた、彼女が「法喜充満《ほうきじゅうまん》」と形容する喜びの源なのだろう。

台湾の仏教団体である法鼓山《ほっくさん》は「法喜充満」を「『法喜《ほうき》』や『法悦《ほうえつ》』ともいい、簡単にいうと仏の教えを聴いて仏法を理解したことで、心に喜びが生まれること」と解釈している。

仏教的観点から見た「法喜充満」は、仏法によって人間の内面が浄化され、心に喜びが生まれた状態を指す。

このように説明すると、まるで宗教を通じて悟りに到達した人だけが語る深遠な言葉に聞こえるが、思い出してみてほしい。

つらい記憶がよみがえって一人涙する夜、あるいはたった一人で孤独に向き合っているときに、一曲の歌や一冊の本、誰かの言葉、漆黒の闇に包まれた高い山から仰ぎ見る満天の星、美術館で目にした一枚の絵によって、戸惑いの中に突然光が差し込んできて、穏やかな力に貫かれた感じがしたことはないだろうか。

これが法喜充満——喜びであり、私たちの生活の中で発生する刹那《せつな》的なものだ。ほとんどの人はめったに出会えないのかもしれないが、オードリーにとって「法喜充満」の状態はずっと続いている。

欲望を満たすのとは異なる幸福感

私にとって喜びとは「good spirit」です。古代ギリシャ語でいう「ユーダイモニア（Eudaimonia：注1）」ですね。ソクラテスの説明が一番ぴったりくるのですが、彼は人間の体は、脳も含めてダイモーン（Daimon：霊や魂）で満たされた運び手にすぎないと考えていました。実際に機能しているのはダイモーン、つまり「霊」であり、肉体的な愉しさは一過性のものですから本物ではありません。「ダイモーン」とのコンタクト方法は人によって違います。インターフェースが違えば別の解釈が生まれるからです。

ユーダイモニアは幸福感とも言えますが、もっと宗教的表現で形容される感覚に近いのです。宗教用語を借りてユーダイモニアをなんとか翻訳してみると「法喜充満」となるでしょう。

以前、誠品書店（台湾の有名書店）の呉旻潔《マーシー・ウー》董事長《とうじちょう》と対談したのですが、どうやらダイモーンが同じだったようで、しかも双方が「思考の運び手だ」という話で互いに共感を覚えて、楽しい時間を過ごしました。

まず私たちは議論するうち、人間は「思考の運び手」にすぎないという結論に達しました。私にとってこの人生はいつまで続いているのかと考えると、今の直前の瞬間までで、ある意味ではこの人生はすでに過ぎ去ってしまったとも感じています。

ですから今のこの瞬間は単に、いくつかのメカニズムに従って生存しているにすぎません。もし今のこの一瞬がその前の一瞬の延長だと解釈したら、「今ここ」に存在するあらゆる可能性を取りこぼしてしまう気がするのです。

しかしそうすると、私たちは自分の内側にある、どうしてもやり遂げたい何かを感じることはできないのでしょうか。私たちが人生に連続性を求めるのは、心の中に要求や期待があるからではないのでしょうか。

ですが私に言わせると、私は今の直前の瞬間まで生き切ったので、次の瞬間における自分の可能性は完全にオープンになっています。つまり、今から先は、直前の瞬間までのいろいろな期待や欲望によって妨げられることはないのです。

たとえ誰かから攻撃されても、ネガティブな感情にとらわれることはありません。私はそれらすべてを「コーパス」とみなしているからです。コーパスとはロボット分野などで使用される言語資料データベースです。誰かに攻撃された際、「なるほど、この言葉はこうやって使えばよかったのか」とか「あ、これはネタだな。なかなかいいんじゃない？」と思っていれば、自然と影響されなくなります。

また、私たちが対談した時期は公共eコマースである実名制マスク販売2・0が行われていたころで、誠品グループのeコマース移行期にも重なっていました。ですから私たちの対話は机上の空論ではなく実際の具体的な行動を伴うものでしたし、解決方法は世界とリンクしていました。この経験は私に満足感をもたらしました。単なる喜びを超えて幸福感（ユーダイモニア）に到達できたからです。

その過程をも楽しめたのなら理想的ですが、たとえ楽しめなかったとしてもやはり私は満足したでしょう。**満足感とは外側から肯定されることで生まれるものではなく、内在するものだからです。他人から承認してもらわなくても、目標の実現や協働関係を促す心理状態を私は維持しています。**

承認や理解を求めず、ただ思考を伝える役割に徹する

私たちは所詮、思考の運び手にすぎません。どういう意味か、お話ししましょう。

著作権法の枠組みから考えた場合、私は著作権も著作人格権もすでに放棄していますから、自分のことをまるで50年前に死んだ人のように感じています。台湾で著作権の保護期間が切れるのは没後50年だからです。

ですから、もし（著作権の保護期間が終わるのが没後70年である）アメリカにいたら、自分は死んでから70年がたったんだなと思うでしょう。そんなわけで、私はいつも「私は死んでからずいぶんたつんだなあ」と感じているのです。

私は「思考の運び手」にすぎません。思考だけが本物で、私は単なる器なのです。しかしその器に何を入れるか、そしてそれをどうやって使うかは自分で選べます。

自分に思想の伝播《でんぱ》力を増幅《エンパワー》させられる力があることが分かっていれば、やり方はとても簡単です。私がいつかログアウトする（死ぬ）ときの社会を、私がログインしてきた（生まれてきた）ときよりもよいものにできれば、次世代の人々の生活をよりよくすることができます。そのために、私は自分の思想の伝播力を高めているのです。

かつての私は、「もし私が自分のことすら理解しておらず、誰かと質疑応答をする際に正確な言葉を使っているかどうかを考えたこともなかったら、他人に私の話を理解してもらうのは無理なのではないか、理解してもらおうという願望自体が矛盾しているのではないか」と思っていました。

ですが逆にいうと、「自分」はそもそも思考の運び手にすぎないとはっきり自覚したら、**準備さえ整えば思想は自然と私の中に入り込んでくるし、当然ながら他人に理解してもらう必要もないのです。**

ある思想が、私よりも先にそれを理解していた人から私に伝わってくるだけ——つまりその思想の伝播者数が増えるだけだからです。

次に思考が他者に伝染したら、私は単なる無症候性キャリアにすぎませんから、それに名前をつけたいという欲も消えますし、同じ理由で、人から理解されるかどうかという問題も消滅します。繰り返しますが、私は運び手にすぎないのですから。

苦しみも喜びも、どちらも大切

私から見れば、苦しみと喜びはどちらも重要です。**苦しみはあなたに、これ以上この状況を続けるのは無理だよ、でないとあなたの基本機能が損なわれてしまうよと教えてくれているのです。**あなたが今、苦痛を感じているなら、もっと頑張ろうとしてもそれ以上強くはなれないし、無理に耐えることで自発性が失われる可能性すらあります。

苦痛を感じ取れることは重要です。やけどをしても痛みを感じなければ簡単に命を落とすように、苦痛が感じ取れなくなったら内部の警報器が作動しなくなっているということなのです。

喜びについても同じことが言えるでしょう。あなたにとって滋養になるものが、あなたをもっとよい状態にしてくれる。人は喜びを感じるとき、そう教えられているのです。ですが、よりよい状態になったら喜びはすぐに再定義されてしまい、「今の状態は当たり前」と考えるようになります。「足るを知らない」とは、たいていこの状態です。でも、実はそれは正しいのです。現状に対して常に喜びを感じていたら、新しいことにチャレンジしてみようとは思わなくなるからです。

人生には苦しみも喜びも、どちらも大切なのです。

もし常に喜びだけを感じていたら、何かを創作したいとかどこかに行きたいといった気持ちに駆り立てられることもなく、社会全体の発展も停滞し、進化することもないでしょう。

でも苦痛が続いているのにそこから目を背けたら、ブッダの初めての説法を聴いた多くの人が、人生とは苦しみなのだと悲観して自殺したのと同じになります。だからこそブッダは教義を改めました。でなければ仏法を聴いた人はみな命を絶ってしまったでしょうし、仏教が誕生することもなかったでしょう。

ログアウトするときの世界が、ログインしたときよりもよくなってほしい

私が山小屋にこもる前の14歳のころは、いわゆる学歴や成功というものについて、自分でもさまざまに考えて迷っていましたし、身内や友人の意見もバラバラでした。ですが、山ごもりから帰ると、私の考え方や意見には一貫性が生まれ、平和の極致に達したかのように迷いや葛藤が起きなくなりました。

私が初めて自由と喜びを強く感じたのは、当時在学していた中学校で校長から「明日から学校に来なくていいよ」と言われたときです。あのとき味わったのは完全な解放感でした。その瞬間から自分の立場はもはや「中学2年生」ではなく、インターネットの貢献者になったからです。

それまでは授業が終わってからでないとインターネットの貢献者としての活動ができませんでしたし、学校では学校のペースにどうしても合わせる必要がありました。一日のうちで目が覚めている時間は16時間ですが、学校生活に束縛されるため、実際にインター

ネットに関われる時間は半減します。ですから学校へ行かずにすべての時間をそこに注ぎ込めるようになったのが、心底嬉しかったのです。

私がインターネットに触れたのは12歳のときで、14〜15歳のころにはその世界に貢献するようになっていました。思考と信念が芽生えてから行動するまでの間には、たった数年しかなかったのです。30代で入閣すると、私の行動範囲はインターネットだけでなく、リアルな世界へと広がりました。(何かに貢献できると)実際に満足感が得られます。

「いつか自分がログアウトするときの世界がログインしたときよりもよくなる」そう思えるなら、非常に嬉しく、幸せなことです。そして喜びも満足感も得られます。まさに「good spirit」な状態と言えるでしょう。

注1 ユーダイモニア(Eudaimonia)

「幸福(happiness)」と訳されるが複数の訳語がある。一種の深い満足感(Fulfilment)を指し、プラトンとアリストテレスが重視したが、現代人の幸福の概念とは違う。Eudaimoniaの「Eu-」は「優れた・すばらしい・よい」、daimonは霊・魂を意味する。

5 苦しみはあなたに、これ以上この状況を続けるのは無理だよ、でないと**あなたの基本機能が損なわれてしまうよと教えてくれている**のです。人は喜びを感じるとき、あなたをもっとよい状態にしてくれると教えられているのです。

6 **人生には苦しみも喜びも、どちらも大切**なのです。

7 「いつか**自分がログアウトするときの世界がログインしたときよりもよくなる**」。そう思えるなら、非常に嬉しく、幸せなことです。そして喜びも満足感も得られます。

1 たとえ誰かから攻撃されても、ネガティブな感情にとらわれることはありません。私は**それらすべてを「コーパス」(言語資料データベース)とみなしている**からです。

2 **満足感とは外側から肯定されることで生まれるものではなく、内在するもの**だからです。他人から承認してもらわなくても、目標の実現や協働関係を促す心理状態を私は維持しています。

3 私は「思考の運び手」にすぎません。思考だけが本物で、私は単なる器なのです。しかし**その器に何を入れるか、そしてそれをどうやって使うかは自分で選べます。**

4 準備さえ整えば思想は自然と私の中に入り込んでくるし、当然ながら他人に理解してもらう必要もないのです。ある思想が、私よりも先にそれを理解していた人から私に伝わってくるだけ、つまり**その思想の伝播者数が増える**だけだからです。

KEYWORD 15

死を見つめる

人生における死の意味とは

古今東西、あまたの経典から民間に伝わる歴史書の中まで、死を論じたものは無数に存在する。

東洋の思想家、老子はその著書に生死に関する明確な記述を残さず、万物の存在と滅亡の法則だけを説き、「道法自然」を唱えた。すなわち、万物はすべて生気に満ちあふれながら成長するものだが、本質的には最後にやはり原初の状態に回帰するという考え方だ。だが老子の著書と言われる『道徳経』に「人は地に法《のっと》り、地は天に法り、天は道に法り、道は自然に法るとす（人間は自然を手本にして生きればよい。知りたいことは自然が教えてくれる）」と記されているように、自分を「人の生くるや柔弱、其《そ》の死するや堅強（人の体は生まれ出たときには柔らかく弱々しいが、死ぬと固く強固になる）」の境地に置くことはできる。これは老子の自然観であり、「死生感」でもある。

西洋哲学の父タレスは哲学的なテーマを初めて提起した思想家であり、「存在とは何か」を追求した。彼は「宇宙の本質は水であり、水が唯一の根源的な存在である」と考えた。この彼の主張は古代ギリシャの文化と自然哲学の起点にもなり、このときから万物の存在と滅亡の源に対する思弁が始まった。

古代ギリシャの三大哲学者・ソクラテス、プラトン、アリストテレスの時代から暗黒の中世期、そして近世哲学期を経たのちに、ユダヤ人商人の家庭に生まれたスピノザは、個人と世界の必然的秩序こそが精神の自由であり、人生最高の目標でもあると考えていた。個々の魂の不滅性は、彼にとっては何の存在意義も備えていなかった。普通の個体は永遠の存在ではないからだ。スピノザは、すべては必然によって発生し、偶然など存在しないと考えていた。

19世紀ドイツの哲学者ヘーゲルはこの概念を極限まで広げ、同じくドイツの哲学者であるハイデッガーは、人間を「死に向かって生きる」存在だと定義し、人間は死を考えることで生きる意味を思考できると考えた。

生に対するオードリーの主張

「いつかログアウトするときの社会や世界は、あなたがログインしてきたときよりもよくなっている」。

小学生のときから全真派気功（道教全真気功とも呼ばれ、数ある気功の流派の一つ）を修練し、膨大な書物を読みふけったオードリーにとって、死の意義は常にこの言葉に帰結される。いかにも「デジタル移民」オードリーの口から飛び出しそうな言葉だが、その奥には奥深い人生経験が潜んでいる。

三、四歳のころ、彼女は自分が先天性の心臓病を抱えていることを知った。体外式膜型人工肺（ECMO）によって死の淵から生還したこともあるという。この特殊な経験から**彼女は「肉体は思考の運び手にすぎない。だが私たちはこの運び手にその機能をどうやって発揮させるかを自分で選ぶことができる」と悟ったのだ。**

この考え方は、伝えるに値するメッセージや文化を次世代に伝えていくことを目的としている。進化のプロセスとは、何かが誰かに伝えられて続いていくものだ。オードリーの言う通り、「物語の寿命は人間の寿命よりも長い」というわけだ。

死と隣り合わせにあった幼少期

先天的な心臓病を抱えていた私は3～4歳のころに医者から、手術が受けられる年齢まで生きられる確率は50%だと宣告されていました。12歳で手術を受けるまで、翌朝目覚めることができるか分かりませんでしたし、何をしていても命の儚《はかな》さを思っていました。

一人のときには常に気持ちが安定するよう注意していたので、心臓が早鐘を打つようなことにはなりませんでしたが、誰かと一緒にいるときは気持ちの変化が体に影響しないよう、深呼吸を繰り返すこともありました。これらはすべて生存本能です。

先天的な疾患があったことで、私は意識的に死と向かい合う練習方法を会得しました。もちろん、これは生まれつきの病気だったせいで、本を読めば身につくようなものではないでしょう。

子どものころは心拍が跳ね上がるたびに気を失っていたので、激怒することも大はしゃぎすることもできませんでした。これは、物心ついて私が最初に感じた衝撃でした。そんな状態でしたから、気功の修練などを通じて、感情が高ぶったときは反射的に、すぐさま心の中で何かを空想して短時間で気持ちを落ち着かせられるようになりました。そうしなければ卒倒してしまうのです。

生き延びるために、私は心身を安定した状態に保たなければなりませんでした。不安定な状態に陥ったら、瞬間的に、あるいは少なくとも短時間で気持ちを回復させなければならなかったのです。さもないと、また集中治療室で目覚めることになるからです。

毎晩眠ることは、死と向かい合う練習

人間は誰でもその一生を終えるときに死に直面しますが、実は私たちには毎日それを練習する機会が与えられています。それが睡眠時間です。

眠っている間は、あなたと世界の間で何の相互作用も起きていないし、世界はあなたなしの状態で動いています。この状態はあなたが死んだときと似ています。世界から見ると、このときの私は行動者ではありませんし、世界からの情報を受け取ることもできません。いわば、死んでいるのと同じなのです。

幼少時から病気を患っていたため、私は眠ることと死ぬことは似ていると感じていました。ですから夜になっても眠りたくなかったし、目覚めているときの一瞬一瞬をかけがえ

のないものだと感じていました。そして自分にはやり残したことがあり、それをやり遂げたいといつも感じていました。しかしあとになって、起きている間にやりたいことを全部済ませてしまえば気持ちよく眠れることに気づきました。

正面から死を抱きしめれば、少なくとも安心して目を閉じられます。つまり、眠る前に心配事を手放すのです。これは誰でも毎日練習できるでしょう。「今日のことは今日中に済ませる」と言いますが、やるべきことを済ませて、メールにもすべて返信し、明日やることをリストアップしたら、すべて手放してぐっすり眠る――そうすれば何も心配いりません。

眠る前に心配事を手放す方法はイノベーションにも役立ちます。やりたいことをすべて実現してからでないと革新的なアイデアがその隙間に入れないからです。でなければ翌日になってもまだ、前日に終えられなかったことや前日にやった方法をただ繰り返すだけになります。

ですから私は、こうした行動を、死に向き合うメソッドとしてではなく、逆に心の中にイノベーションのための隙間を空ける方法として採用することも前向きな姿勢だと思っています。手放すことが難しかったら、たくさん練習してください。そうやって毎日ぐっすり眠ることも練習の一つです。

この世への「ログイン」と「ログアウト」の間

前述の通り、3〜4歳のころに医師から宣告を受けた私は、そのときから死と向き合う練習を始めました。幸い手術を受けて健康を取り戻すことができましたが、この切迫した経験がなかったら死と向き合うのは難しかったでしょう。

死と向き合う練習として、空想の中で自分がいなくなったあとの世界を眺めてみました。すると、「これが自分だ」と言えるものなど存在しないと気づいたのです。

そう考えると、死が怖くなくなりました。私は思考の運び手にすぎないけれども、ログイン（生まれたとき）からログアウト（死ぬとき）までの間に世界をもっとよくすることができるし、すばらしいアイデアを広めることもできると考えられるようになったのです。

以前、この世からログアウトするとき、自分の墓碑銘にどんな言葉を残したいだろうかと考えたことがあります。でも、何もいりません。「全角スペース」でいいんです、というのは冗談ですが、墓碑に何かを刻む必要はありません。ただの立方体でもいいのです。

要するに、私は、ログアウトするときの世界をログインしてきたときの世界よりもよくしたいのです。これは普遍的な概念でしょう。論語に「人の将《まさ》に死なんとする其の言や善し（人の死ぬ間際の言葉はただ純粋で、そこには偽りも飾りもない）」という言葉がありますが、どこの文化にも同じような言葉があるはずです。

人は死を目前にしたときのみ、自分自身に「この世に生まれてきたのは無駄ではなかった。私は世界を自分が生まれてきたときよりもすばらしいものにした。もう目を閉じて逝ってもいいだろう」と語りかけます。これはおそらく各文化に共通する考え方でしょう。

生き続けることには意味がある

人生を手放せないのは、まだやりたいことがあるからです。ですが、まったく何もせずに突然手放したら、近しい人は混乱するでしょう。周囲の目には、その人がログアウト（死）を繰り上げたように映るからです。自殺は強制ログアウトなのです！　それに自殺すると、残された人が気持ちを整理するのにも時間がかかります。

ですから、**手放せないものがあるのなら生き続けて、「自分が生き続けることには意味がある」と感じられるよう、時間をかけて自分自身をマネジメントしましょう。そして、毎晩寝る前には「手放す練習」をしてみましょう。**この二つは決して矛盾しません。

これは持続可能性にも通じる考え方です。この世からログアウトするときに、ログインしたときよりももっとたくさんの美しいものが残るような行動を自分や他の人に促すことが大切だと私は考えています。

例えば、私が人から学び、人を手助けし、世界で助けを必要としている人がよりよく生きられるようにすることは、私にとって手厚く弔《とむら》ってもらうことよりも重要なのです。

個を超え、社会の人々との関わりを持つことが生を充実させる

私の母方の祖父は百数歳で亡くなりました。ある日、あまりご飯を食べなくなったと思ったら二日間ほど眠り続け、そのまま旅立ちました。その死は、極めて自然なできごとでした。

もし明日死ぬとしたら私はどうするでしょう。そうなったら死ぬだけですから、それをあれこれ考える必要はありません。私は楽しみの中で、あるいは喜びの中で死ぬのですから、残念だとも思わないでしょう。どのみち人間は遅かれ早かれログアウトするのですから、そのときがきたらログアウトすればいいのです。

死の前に老いがやってきます。私の家族の経験から考えるに、人は普段からさまざまな

社会活動に参加する習慣を身につけています。ですから、高齢者ならではの知恵や、教員やまちづくり推進者として働いた経験などなんでもいいのですが、「私は社会に貢献している」と高齢者が実感できるものを見つけてあげられるといいでしょう。

私の祖母はもうすぐ90歳で、77歳の友人がいます。マスク実名購入制度の運用にあたり、私はいつも祖母やその友人にシステムの使い勝手を尋ねていました。彼女たちからすると、自分がコミュニティの事業や国の政策に具体的に貢献できるわけですから、目に見えて若々しくなります。

これが「自分は社会から必要とされている」という感覚です。自分を必要としてくれる人が個人しかいなかったら、その人がログアウトしたら深い虚無感に襲われるでしょう。

人はいくつになっても、社会参加する方法を見つけて社会から必要とされる存在でいられるのです。そうでなければ、石器時代に戻ってしまいます。

これには学術的根拠もありますし、持続可能性を踏まえた概念でもあります。繰り返しますが、年齢にかかわらず社会参加することは可能です。社会参加をしないのなら、ログアウトするときの世界をよりよいものに変えることはできないのです。

大切なのは私たちが自分自身（の性別や年齢、肩書など自分についているラベル）を手放すこと、そして未来予想図を論じるだけではなく、自分はパズル全体の1ピースだと感じ取ることです。

「私たちは誰もが互いの生まれ変わりだ」という言葉に、私は美を感じています。私が死んだらあなたになるかもしれないのですから、自分のことしか考えないという習慣から距離を置いてみましょう。

私たちが抱くべき信念は「いつかログアウトするときの世界は、ログインしたときよりももっとよくなっている」に尽きるのです。

6 人はいくつになっても、社会参加する方法を見つけて**社会から必要とされる存在でいられる**のです。

7 「私たちは誰もが互いの生まれ変わりだ」という言葉に、私は美を感じています。ですから、**自分のことしか考えないという習慣から距離を置いてみましょう。**

8 私たちが抱くべき信念は**「いつかログアウトするときの世界は、ログインしたときよりももっとよくなっている」**に尽きるのです。

1 人間は誰でもその一生を終えるときに死に直面しますが、実は**私たちには毎日それを練習する機会が与えられています。**それが睡眠時間です。

2 眠ることと死ぬことは似ています。正面から死を抱きしめれば、少なくとも安心して目を閉じられます。つまり、**眠る前に心配事を手放す**のです。

3 **眠る前に心配事を手放す方法はイノベーションにも役立ちます。**やりたいことをすべて実現してからでないと革新的なアイデアがその隙間に入れないからです。

4 手放せないものがあるのなら生き続けて、**「自分が生き続けることには意味がある」**と感じられるよう、時間をかけて自分自身をマネジメントしましょう。

5 毎晩**寝る前には「手放す練習」**をしてみましょう。

特別付録

オードリー・タンに聞く
人生が変わる悩み相談室

オードリー・タンが繰り返し強調する「すべての人の側に立つ」――この言葉は彼女のスタンスであり、思考の基盤にもなっている。

幼くして独学の道を歩み、15歳で起業を果たし、性別記入欄には「なし」と記入して、最年少でデジタル担当政務委員に就任した人生は、いわゆる「敷かれたレールの上を歩く」人生とは対照的と言えるだろう。だが、これらの経歴が現在の非凡な姿を形作ったのかもしれない。そんなオードリーが自らの人生経験をシェアし、寄せられた10の質問に答えてくれた。

Q1

何かをやりたいと思っても常に人にどう思われるかが気になって、いつも「これでいいのかな」と悩んでいます。（25歳女性）

A

人から自分がどう評価されるかが常に気になるということでしょうか。もしそういう意味ならあなたに対する他人の評価は、社会で生じる他人との相互作用のなかで、自分が楽しく感じることはもっとやったほうがいいとか、不快になることは控えるべきだといったことと同じ意味ですから、正常なことだと私は思います。これを「社会的シグナル（social signal）」と呼びます。

もし他人がどう感じているかがまったく分からないとか、他人の気持ちを完全に無視しているのなら、人は反社会的な行為や社会に溶け込めない絶縁状態に陥ってしまいます。

ですからあなたが、自分の一つ一つの行動に対する他人の批評や判断を感じ取れるのは悪いことではありません。ですが私たちはしばしば、自己を相手のフレームに投影してしまいます。これを「投影性同一視（Projective identification）」と言います。

つまり相手は単に、あなたの行動が社会にとってよいか悪いかを述べているだけなのに、もしくは好き嫌いを述べているだけなのに、「私が善人かどうかは、私が他者を喜ばせるようなことをしたかどうか、他者から評価されたかどうかによって決まる。だから他者に喜ばれる人間でいなければならない」と考えてそれを内面化してしまうことがあります。すると、それが自分の自我同一性（アイデンティティ）に対する評価になりますから、何一つよいことはありません。

なぜなら、誰もがさまざまな可能性を秘めているからです。あなたが自分のことをそういう人間だと認めるということは、自分の未来の可能性を捨ててしまうのと同義です。

私たち一人一人のすべての行為や他人からの評価は、あなたが将来何か違うことを行うときに参考にはできますが、その評価に縛られてはいけないし、ほかの人が語るあなたの姿に同意してもいけないのです。この原則はあらゆる世代に当てはまります。

他人の意見に左右されない人間になりたいですか？　それなら、異文化活動に割く時間を増やしましょう。

あなたがどのタイムゾーンに属していようが、まともなネットコミュニティに参加してその中に溶け込むだけでいいのです。いくつかのコミュニティに積極的に参加すれば、他人から自分の行動をどう評価されようとも、自分の人格は人からの評価にわずらわされることのない、独立したものだということが徐々に分かってきます。

これは三角測量のようなものですから、少なくとも三つ以上の異なる文化的視点を身につけなければ理解できないでしょう。例えばウィキペディアの編集作業に関わったり、独立系ゲーム制作チームのゲームに参加して、プログラマーやほかのプレイヤーと交流を深めながらキャラクターやシナリオの作成に貢献したりするのもいいですね。

あなたが共創（コ・クリエーション）に参加するときが、他者評価に影響されない新たな次元を確立するときなのです。

Q2

自分のやりたいことや夢はどうすれば見つかりますか？（19歳男性）

A

一番大切なのは、空想する時間を十分に確保することです！

大前提として、睡眠をたっぷり8時間は取りましょう。現実的な話、寝不足だと日常生活で受けるプレッシャーが自然と増すのです。そうすると頭の中に夢を描くような余裕がなくなってしまいます。まずは十分に眠ることです。

そして、日中に空想にふける時間を確保することも必要です。これは注意力を「空想、夢想（reverie）」している状態にしておくことに似ています。とりとめのないことをぼんやり考えているような、注意力が宙に浮いているような状態です。

別の言い方をすると、今すぐ何かを現実化させたいわけではなく、現実に目に見え、形になったものをどうしても創造したいわけでもないが、完全に眠っているとか無意識の状態にあるわけでもなく、その中間にいるような感じです。例えば適当に字を書きなぐってもいいし、何をやってもいいという状態。ちょうど小さな子どもが砂場や公園でただ無心に遊んでいるような感じです。

一日の中で30分から1時間ほどの時間でこれを続けると、さまざまなひらめきや考えが浮かぶようになります。そもそも、徐々に夢に向かうための万人共通の方向性など存在しないのです。**漂っているような、混沌《こんとん》とした状態の中からでないと、ひらめきも新たな考えも生まれてはこないのです。**そうした状態で長い間待っていると、人は聡明になります。座禅を七日間組んだときにさまざまなアイデアが生まれるのと同じように、一粒の埃《ほこり》の中から花が咲くかもしれないのです。

時間がないとか仕事が忙しいといった理由で、夢想する暇などないと思っている人も多いかもしれませんが、それだと借金の利息がいつまでも続くのと同じです。寝不足だと日中の集中力は著しく低下し、仕事の効率も下がります。すると残業せざるを得なくなって睡眠時間が削られます。そうやって一連のサイクルが形成されてしまいます。

実は、その解決方法も借金の返済プランと似ています。すべきことが山積みなら、どのみちどうやったって終わらないのですから、先に損切りして10時に寝てしまえばいいのです。するとと睡眠を十分に取れるなら、仕事は翌朝に持ち越してやったほうが早く仕上がるのだと徐々に分かってきます。この借金のサイクルが改善されれば、一日ー時間ほど空想に充てられるようになります。そのためには、睡眠と空想時間の確保が最優先です。一日ー時間すら無理だと言いたいときもあるでしょうが、たいていの人は睡眠時間を犠牲にして短期的な効率を追い求めながら、借金を重ねているだけです。

ちなみに、私は締め切りが迫ってきて、また通りすぎていく足音を聴くのが好きなのですが、2分で返信できるメールならすぐに返事をすればそもそも遅れは生じません。ただし熟考を重ねる必要があるときは、仕事が終わってから空いた時間によく考えたり頭を整理したりしています。とはいえ緊急度を考慮しなかったら、いつも締め切り時間ギリギリまで仕事に手を付けなくなるでしょう。すると当然ながら気持ちが急《せ》いて、空想にふける時間を作れなくなってしまいます。

そんなわけで、私の場合、急ぎの件はすぐに処理し、急ぎでなければゆっくり処理しています。**重要度ではなく緊急度で判断しているのです。**

そのようにルールを決めて、自由に空想にふける時間を捻出しましょう。**自分をある種の無重力状態に置くと、何かが自然に浮かび上がってきます。自分のやりたいことや夢が浮かび、それを実現できる方法も探せるようになります。**そのような時間や状態を確保することが大切です。

Q3

相手によって態度を変えるのはよくないと分かっているのに、なぜそうしてしまうのでしょう？　どうすれば改められますか？（23歳女性）

A

確かに人は初対面の相手に、まずは年齢や性別、住んでいる場所などを尋ねます。これらのラベルは相手を理解する時間を短縮してくれる、ショートカットのようなものだからです。一方で、自分の情報や自分に貼られたラベルを公開し始めると、ソーシャルスクリプト（社会的台本）の中に巻き込まれていく感じがしますが、このソーシャルスクリプトが完全に間違っているとも言えないのです。結局のところ、他人との関わり合いの中で一部の情報だけ採用してそのほかを無視してしまったら、お互いを理解するのにもっと時間がかかり、機会コストがかさんでしまうからです。

ではなぜみんな、それらのラベルを知りたがるのでしょうか。

それは人間が、思考のプロセスと問題解決のプロセスをショートカットすることに慣れてしまったからです。

これを解決するには、メインのラベルになりやすい情報は伏せて、自分だけが使っている言葉を利用するという手があります。例えば防疫中に私たちは諸外国に対し「Taiwan can help」というキーワードを使っていましたが、実際にこの言葉は私たちのほかに誰も使っていませんから、その識別度は高くなりました。これはラベル化ではなく個別化された状態です。**あなたのラベルは、あなたが生まれる前から定義されているのではありません。ラベルを解釈する権利は、あなた自身、そしてそのラベルをあなたと共に使う人にあるのです。**

結局のところ、相手によって対応を変えることは一般には「差別」と呼ばれています。

これはあるグループが誰かに対し不適切な応対をすることです。人間は互いを知るために時間を割かなければ、互いを理解することも公平な応対をすることもできませんが、一部のラベルが貼ってあることを理由に他人との付き合いを拒否することもできません。

この二つは極端になるとどちらも反社会的な様相を帯びてきますから、その中間が好ましいと思います。一部のラベルを隠すことと、情報の徹底的な透明性を求めることの間に矛盾は生じません。差別をなくせば相手によって対応を変えることもなくなります。

Q4

世界から貧困問題は一向になくなりませんが、何かよい解決方法はあるでしょうか？（35歳男性）

A

地球全体の資源の年間消費量が常に年間生産量を超えるようになったら、最終的にはみんなが貧しくなります。これは地球規模の問題なのです。

ですが個人の貧困の話であれば、貧困から脱出したいと思った人は自分とは違う生活様式に触れることができます。

例えば台湾では、私たち（公的部門）が通信用ブロードバンドを使用する権利や学ぶ権利、健康な生活を営む権利といった基本的人権を保障し、社会全体のセーフティネットによるサポートを設け、社会的基本権のラストワンマイルを保障すれば、生まれ育った家が機能不全家族だったためにさまざまな手段や可能性を想像する力が制限されてしまうことにはならないでしょう。まずはそうした想像力を養うこと、そして貧困からの脱却に成功した人を探すことがとても重要です。

もちろん、ここには、「相対的剥奪感《はくだつ》（注1）」というテーマがあります。若者の目には、上の世代は大した努力もせずに自動的に浮上していったけれど、今の世の中ではそんなスピードは望めないし、世代間格差もあると映っているでしょう。ですが福祉をもっと充実させれば、若者の給料は上がるのです。

自分は人と違う世界を生きているんじゃないかと感じてしまうような立場にいる人は、一般的には住む世界の違う人と人生が交差することはないのですが、彼らが互いに交流すればその状況を変えることができます。

台湾の事例をご紹介しましょう。以前、私はT大使計画開幕式に出席しました。T大使とは公募を通じて地元の中小規模の社会イノベーション組織に参加するプログラマーを指します。彼らは企業が行うデジタルトランスフォーメーション（ＤＸ・注２）のインターンプロセスに入ることはできませんが、彼らが手助けすることになるインターン生を理解することはできますから、彼らの人生経験に重なり合う部分ができます。

このようにすれば人材の過剰な集中や流出は起きませんし、逆に人材の対流を促すことができます。つまり、あなたがプログラミング学部の学生であろうがなかろうが、ＤＸに興味がありさえすれば、地元にＵターンすることもできるわけです。もちろん、国が半年間のトレーニングや実習期間を設けますし、給料も支払われます。それは人材を新たに循環、あるいは対流させたいからです。

現代の若者はデジタルネイティブですから、地元に帰ってアルバイトしか仕事がないわけではなく、地方のＤＸにサポートを提供できるのは確かです。

もちろん、自分で勉強する必要があります。例えば農家を支援する場合、農家の人と一緒に畑に行ってスイカの数を数えていたら、ドローンを使えばもっと効率的に数えられるんじゃないかとひらめくかもしれません。

互いの距離を縮めて、同じ言語環境に置かれるなり、同じ状況に置かれるなりして、ようやく対話が可能になり、個人間の競争にとらわれなくなります。なぜならどのような競争であっても、その上にはまた競争があって、それがなくなる日は永遠に来ないからです。

私はお金持ちではありませんが困窮したこともありません。起業してからしばらくの間、収入は一か月約2万元（約8万円）で、そこから家賃も支払っていました。私は衣食住に対し、あまり多くを求めていません。食費は一食当たり約50元から70元（約200〜280円）で、メニューの中からこの価格帯の料理を順に一通り注文しています。同じものをもう一度食べるのも楽しいですし、それを貧しいとは感じていません。自分を人と比べないからです。

私は当時、フリーソフトウェアのソースコードの開発に没頭していたので、ほとんどの力を共創に注いでいました。ですからそもそも自分を人と比較する暇もなかったし、忙しくて何も食べなくても空腹も感じないのはしょっちゅうでした。

人と自分を比較して、実際には何も失ってないのに自分の権利や財産が周りから奪われて損していると感じないことが大切です。そうなれれば、お金がないとも思わないし、代償心理（自分の欲求が満たされない場合、本来の欲求の対象を別のものに置き換えて満足感を得ようとする行為）も減って実際の精神的経験は豊かになっていきます。

Q5

進歩を追い求める過程で、環境問題と社会の発展のバランスをどうやって取ったらよいでしょうか？（42歳男性）

A

私の考える社会の発展とは、すべての人々が公平性や正義や人権、あるいは民主的制度といったものを追求できることにほかなりません。これらを追求したら社会資源が消費されるでしょうか。そんなことはありませんよね。

注1 相対的剥奪感
実際には何も失っていないのに、自分よりも多くの権利や財産、資格、地位などを持っている他人を見て、本来自分が手にしているべきそれらのものを彼らによって奪われている、あるいは彼らから疎外されていると感じること。

注2 DX（デジタルトランスフォーメーション）
高速インターネットやクラウドサービス、人工知能（AI）などのデジタル技術の活用によってビジネスや生活の質を高めていくこと。

社会の発展は自然環境によって支えられていますが、今の世代の社会正義や民主的な社会を実現するために次世代の生存環境を破壊することになるのなら、この世代が勝ち取った人権や民主社会は何の意味もなさないのです。

なぜなら社会を発展させる主な目的は、私たちがログアウトするとき（この世を去るとき）の社会を、ログインしてきたときよりもよくすることだからです。もし今、社会の最下層を選別して切り捨ててしまったら、これは「抜苗助長《バーミャオジュージャン》」（作物の成長を早めるつもりで苗を引っ張ったところ、みんな枯れてしまった。転じてよかれと思ってやったことが逆に悪い結果を招くことのたとえ）にほかなりません。ですから私はいつも、もっと長いスパンで考えるしかないと話しています。

私の中では、産業の発展と社会の発展は二本の線です。あるいは産業の発展（企業が発展のために環境を犠牲にして経済効率を追求すること）は飛行機の右翼で、社会の発展は飛行機の左翼です。左右の翼はバランスが取れていなければなりません。

かつて私は、社会の発展と環境保護との両立を図るだけならわりと簡単だろう、おそらく三代先まで時間をかければバランスが取れるようになるだろうと考えていました。ですが産業の発展との両立を考えた場合、二本の線が重なり合うには七代先の世代までかかるだろうと考えています。

外部費用（原因を作った者が費用を負担せず、第三者がその費用を負担する場合の費用）は現代の人々が負担するものですが、後世の人々への切迫感は薄いので、知らず知らずのうちに環境を消耗してしまいます。

現代社会は十分進歩したといってよいため、収益化が可能な一部、特に環境問題に関する部分はほとんど内面化されていますが、収益化が難しい一部については定量化するしかなく、定量化が難しければ定性化するしかありません。この部分は今も議論が続いています。

炭素排出権取引はその好例で、ちょうど収益化段階に入ろうとしています。収益化や定量化ができないものは今でもたくさんあり、それについてはソーシャル・イノベーションが必要です。

ですから台湾でコーポレート・ガバナンス3・0の永久版がリリースされたのは、外部費用を内面化するためでもあるのです。

Q6

生きる目的を見失ってしまいました。人は何のために生きているのでしょうか？（32歳女性）

A

人が生きるのは、迷うため、迷いにじっくり向き合うためです。つまり、あなたはすでに生きる意義を見出したと言えるでしょう。ですから、まずは人生の意味を見つけたことに対し、お祝いの言葉を贈ります。

実のところ「迷う」のは自然なことです。

そもそも私たちは人生の中で、生きることには目的があると誤解しています。そして何か起きるたびに、いつも迷いだけが残ります。そうした状況を人間にはどうしようもない状態、何の目的もない状況と呼ぶ人もいます。

ですがこうした状況に追い込まれたときにこそ、あなたの本当の人生の意義が姿を見せ始めるのです。人生の意義とは、あなたが生まれたときにはもうこの世にいなかった人が定義していたものではないのです。

独創的なアイデアを持っている人ならたいていは、同じような経験をしたことがあるのではないでしょうか。

なぜなら、こうした迷いや戸惑いの中にいるときのあなたこそが、他のラベルで定義されたのではないあなた自身だからです。だからこそ私はあなたに「おめでとう」と言いたいのです。

以前にある講演会で実際に同じ質問を受けたことがあります。そのときもこのように答えました。長い間うつ病で苦しんでいて、勇気を振り絞って講演会に参加してくれた方でした。心を揺さぶられたその方は、帰宅してから自分のFacebookでこの話をシェアしてくれました。

私がその方にお伝えしたのが「私にとっての人生の意義とは、迷いに向き合うことです」という言葉なのです。

Q7

ITやAI技術の進歩によって、人間が仕事をしない時代が到来するのでしょうか？　今後、どのような影響があるでしょうか？（29歳男性）

A

仕事をしない時代が来るのではなく、仕事を選べる時代が来るのです。私たちが意義を感じる仕事とは、報酬がなくてもやりたいと思うような、誰かと一緒に創造する意義のある仕事です。創造性や相互作用が欠けている仕事は当然、機械に任せればよいのです。

では、どのように仕事を選べばよいのでしょうか。それは自分に聞いてみましょう！　あなたにとって意義あることとは何ですか？

例えばボタンを押すだけであっという間に山に登って写真を撮ってくれるロボットもありますが、これは友人と登山をするのが好きな人にとっては何の意味もありません。その人の目的は山頂から写真を撮ることではなく、頂上までのみちのりを誰かと一緒に過ごし、コミュニケーションすることだからです。

好きなときに好きなことができる経済的自由を手に入れた人を見てください。彼らは自宅で無為に過ごしているのではなく、やっている仕事はすべて彼らの趣味なのです。

Q8

子どものころから私の恋愛対象は同性の人でした。ですが、家族や友人に話す勇気がありません。ずっと悩んでいます。(14歳女性)

A

家族に話したくないのなら、まずは私のようにインターネットや実生活の中で、同じような経験のある人を見つけて自分の話を聞いてもらいましょう。

自分の性的指向を明かす必要のない場所で、先に他の人はどのようにその問題に対峙《たいじ》し、どうやってサポートし合っているのかを調べてみるのもいいと思います。

もしわりと近い場所でカミングアウトの経験がある人が見つかったら、その人の置かれた社会状況を調べて、どんな戦略を立てたらよいか判断することもできます。またインターネットには、カミングアウトのプロセスをシミュレーションできる双方向型のゲームもあります。

カミングアウトする必要性を感じていない人も、まずは同性愛者ホットラインや関連のコミュニティを通じて、自分の戦術や戦略を固めることができますよ。

Q9

読書が嫌いで学校の成績もぱっとしません。この状況をどうすれば改善できるでしょう?（16歳男性）

A

それなら思いきって読書はやめてしまいましょう！ それで自分は本当は何がしたいのかを考えてみたらどうでしょうか。

文字を読むことだけが知識を得る方法とは限りません。**画像のほうが理解しやすい人もいますし、シミュレーションゲームをやることで知識を得ている人も多いのです。これが多重知能理論（注1）です。**

例えばあなたが特定のテーマに興味を抱いているのなら、いろいろなメソッドやさまざまなメディアを通じて学習すればそのうち好きなものが見つかります。**ですから文章による学習形式にこだわる必要はないのです。**自分に合った方法を探す作業は、きっと楽しいですよ。

注1 多重知能理論

人間の知能は①言語・語学知能、②論理・数学的知能、③視覚・空間的知能、④音楽・リズム的知能、⑤身体・運動的知能、⑥対人的知能、⑦内省的知能、⑧博物的知能の八つに分類できるという理論で、各知能は単独ではなく複合的に作用する。

Q10

学校でいじめられています。どうしたらいいでしょう?(11歳女性)

A 私みたいに休学してもいいんじゃないかな! それから、自分をいじめた相手に何が起きたのかを考えてみましょう。そうすれば、自分自身をあまり責めずに済みます。それに、いじめを構造的に考えるのが一番いい方法です。少し休んでから学校生活に戻るのもいいでしょう。

休学したくないのであれば、クラスメートの中から自分をサポートしてくれる人を探すのも手です。3人くらいいれば十分です。20人くらいのクラスだと探せる範囲が狭まりますが、別のグループから見つけたっていいんですよ。家族やカウンセラー、友達の友達、自分の好きなコミュニティなども含めればもっと見つけやすくなります。

学校生活では、好ましくないグループやものごとに引き寄せられることもあるかもしれません。そうならないためには、取り返しがつかなくなるようなことには手を出さないことが大切だと思います。音楽を聴くと麻薬を吸ったような状態になってしまう人も中にはいますが、これは取り返しがつくことですよね。ですから、人に「ゲームをやめろ」と言うのはやめましょう。もし本当にゲームを禁止してしまったら、その人は麻薬に手を出したり、反社会的勢力に加わったりするかもしれません。

いじめの場合、その人がもはや、その（いじめが行われている）環境にはもう耐えられないと思っているかどうかを最重視する必要があります。万が一、許容範囲を超えてしまったら、心の傷――トラウマが生じたりすることもあります。いったんトラウマを負ってしまったら回復にかなりの時間を要するうえ、心の健康を取り戻すために今休学するよりもっと長い時間がかかるのは間違いありません。ですから、すでにかなり深刻な状況に置かれているのなら、距離を置くほうがいいのは確かです。

休学も転校もできなくて、いろいろな可能性が失われてしまったら、警察に介入を求める必要が出てくるかもしれません。私は先ほど休学したらどうかと言いましたが、絶対に学校に行くなという意味ではありません。**ただ、夏休みや冬休みがちょっと長くなっただけだというふうに考え方を変えてみようという意味です。**

大切なのは「そもそも、いじめは自分の問題ではなくいじめていた人たちの問題だ。そしてもしかしたら彼らの問題でもなくて、（社会や学校の）構造的な問題かもしれない」ということを自分自身で整理できるようになることです。

全体的なものの見方ができるようになってから復学すれば、心や思考に影響や脅威を受けたりはしなくなります。ですが今述べたようなレベルまで整理できないなら、専門家やカウンセラーの支援を受ける必要があるかもしれませんね。

もし無理やり学校に戻ったら、あとからもっとたくさんの対価を支払うことになるでしょう。考えをまとめる力が足りないと思ったら、図書館やカウンセリングルームでこの本を借りることもできます。こうした方法があることが分かったら、次はカウンセラーに相談してみましょう。

おわりに

改めて振り返ってみると、取材を重ねるにつれ、対話が深まり、彼女との「共創」の扉が開いたようにも思う。

取材の最後に尋ねたのは、「どんなに複雑なテーマを論じるときも、あなたはいつも落ち着いていますが、なぜそんなふうにいられるのですか」という質問だ。オードリーはいつもと同じようにゆったりとした口調で、禅宗の言葉を引用して、次のように答えた。

「いわゆる『resilience（回復力）』ですが、これはただおだやかで落ち着いているというものではありません。

禅宗六祖（中国における禅宗第六番目の祖、慧能《えのう》大鑑禅師）は『対境心不起　菩提日日長（何があっても心が揺れない境地に達すると、菩提（悟り、道、智慧）が増える）』と説きましたが、一方で『対境心数起　菩提作麼長（周囲の環境によって心が揺れ始めると、菩提が増える）』とも言いました。

後者の意味は、新しい状況に出くわすと心がいろいろ反応して気持ちが波立つけれども、その波が大きくなり続けることはない、という意味です」。

つまり、何か問題が起きても動揺しないことがよいのではなく、その心の起伏自体に意義があるのだと言う。

ちなみに、不安や危機感、悲しみや孤独はどんなときに感じるのか、批判や世論などが気になるかと尋ねたところ、次のような答えが返ってきた。

「心は揺れますが、通常は1〜2分もすれば治まります。例えば、船が大波にあおられたとき、波に耐える力が船にあるのなら、その船にはresilience（回復力）が備わっていると言えますね。これと同様に、一貫した思考や道理が身についていれば、大波に遭遇してもそれにわずらわされることはないのです」。


いつか自分がログアウトするときの世界が、ログインしたときよりもよくなってほしい。その思いを貫くオードリー・タンは、これからもさまざまな問題を、「共創」して解決していくだろう。

黄亜琪

邦訳参考文献

訳出にあたり、下記を参考にいたしました。

『墨子』
浅野裕一著・講談社

『孤独』
アンソニー・ストー著・吉野要監修・三上晋之助訳・創元社

『儒教入門』
土田健次郎著・東京大学出版会

『偉大な組織の最小抵抗経路 リーダーのための組織デザイン法則』
ロバート・フリッツ著・田村洋一訳・Evolving

『MI:個性を生かす多重知能の理論』
ハワード・ガードナー著・松村暢隆訳・新曜社

『スピノザの世界——神あるいは自然』
上野修著・講談社

『Au オードリー・タン 天才IT相7つの顔』
アイリス・チュウ、鄭仲嵐共著・文藝春秋

『オードリー・タン 自由への手紙』
オードリー・タン協力・クーリエ・ジャポン編集チーム構成・講談社

『オードリー・タン デジタルとAIの未来を語る』
オードリー・タン著・プレジデント社

『オードリー・タンの思考 IQよりも大切なこと』
近藤弥生子著・ブックマン社

／ PROFILE ／

著 オードリー・タン (Audrey Tang)

唐鳳。台湾デジタル担当政務委員(閣僚)。1981年台湾台北市に、新聞社勤務の両親のもとに生まれる。幼少時から独学でプラグラミングを学習。14歳で中学校を自主退学、プログラマーとしてスタートアップ企業数社を設立。19歳のとき、シリコンバレーでソフトウェア会社を起業する。2005年、プログラミング言語Perl6開発への貢献で世界から注目を浴びる。トランスジェンダーであることを公表。2014年、米アップルでデジタル顧問に就任、Siriなどの人工知能プロジェクトに加わる。その後、ビジネスの世界から引退。蔡英文政権において、35歳の史上最年少で行政院(内閣)に入閣、デジタル担当政務委員に登用され、部門を超えて行政や政治のデジタル化を主導する役割を担っている。2019年、アメリカの外交専門誌『フォーリン・ポリシー』のグローバル思想家100人に選出。台湾の新型コロナウイルス感染症対応では、マスク在庫管理システム等を構築、感染拡大防止に大きく寄与。

著 黄亞琪 (Huang Yaqi)

ジャーナリスト・作家。

『今周刊』(台湾金融メディアアクセス数No.1)『商業周刊』(台湾金融メディア知名度No.1)、『経理人月刊』、天下グループ(台湾で最初に創設された金融動向メディアグループ)の各種雑誌で主筆、編集長を歴任。取材歴20年超。金融業界、インタビュー、テクノロジー、文化、教育など多岐にわたる分野で手腕を発揮している。

訳 牧髙光里 (Makitaka Hikari)

日中学院と南開大学で中国語を学ぶ。帰国後はステンレス意匠鋼板メーカーの海外事業部で貿易事務、社内通訳・翻訳等に携わったのち、西アフリカのマリ共和国で村落開発に関わる。帰国後は出産と子育てを経て、現在は産業翻訳と出版翻訳に携わる。

天才IT大臣オードリー・タンが初めて明かす
問題解決の4ステップと15キーワード

2021年12月14日 第1刷発行
2021年12月28日 第2刷発行

著　オードリー・タン・黄亞琪
訳　牧高光里

写真提供　Openbook閲讀誌
写真撮影　KRIS KANG & 洋蔥設計
装丁　西垂水敦・市川さつき(krran)
校正　株式会社ぷれす
編集協力　石橋和佳
編集　平沢拓・一柳沙織(文響社)

発行者　山本周嗣
発行所 株式会社文響社
〒105-0001 東京都港区虎ノ門2-2-5
共同通信会館9F
ホームページ　https://bunkyosha.com
お問い合わせ　info@bunkyosha.com
印刷・製本 中央精版印刷株式会社

　ISBN978-4-86651-454-3